CARPE JURASSIQUE

Mo O'Hara

Illustrations de Marek Jagucki

Traduit de l'anglais par
Sylvie Trudeau

JEUNESSE

Éditeur : François Doucet
Traduction : Sylvie Trudeau
Révision linguistique : Féminin pluriel
Correction d'épreuves : Nancy Coulombe, Émilie Leroux
Illustrations de la couverture et de l'intérieur : © 2015 Marek Jagucki
Montage de la couverture : Amélie Bourbonnais Sureault
Mise en pages : Amélie Bourbonnais Sureault
ISBN papier : 978-2-89767-991-0
ISBN PDF numérique : 978-2-89767-992-7
ISBN ePub : 978-2-89767-993-4
Première impression : 2017
Dépôt légal : 2017
Bibliothèque et Archives nationales du Québec
Bibliothèque et Archives nationales du Canada

Éditions AdA Inc.
1385, boul. Lionel-Boulet
Varennes, Québec, Canada, J3X 1P7
Téléphone : 450-929-0296
Télécopieur : 450-929-0220
www.ada-inc.com
info@ada-inc.com

Diffusion
Canada : Éditions AdA Inc.
France : D.G. Diffusion
Z.I. des Bogues
31750 Escalquens — France
Téléphone : 05.61.00.09.99
Suisse : Transat — 23.42.77.40
Belgique : D.G. Diffusion — 05.61.00.09.99

Imprimé au Canada

Participation de la SODEC.
Nous reconnaissons l'aide financière du gouvernement du Canada par l'entremise du Fonds du livre du Canada (FLC)
pour nos activités d'édition.
Gouvernement du Québec — Programme de crédit d'impôt pour l'édition de livres — Gestion SODEC.

À Jaimie, ma meilleure amie.

J'écris à propos de l'amitié parce que nous sommes amies.

LE CHEVALIER
DE LA NUIT

CHAPITRE 1
IL ÉTAIT UNE FOIS

Les trompettes claironnaient de chaque côté du bus scolaire qui bringuebalait sur le sentier menant au château de Pierrecastel. Je ne parle pas de trompettes ordinaires. J'veux dire, de celles qui sont super longues et pointues, avec des fanions qui y sont accrochés, comme on en voit dans les jeux vidéo de sorciers et de donjons.

— Ça alors, ils se sont vraiment donné du mal pour cette journée médiévale! me suis-je exclamé en me tournant vers Pradeep, mon meilleur ami, qui était affalé sur le siège derrière le mien.

— Beuargh! a-t-il grogné en remplissant un autre sac à vomi. Chouettes trompettes.

Pradeep et moi, nous nous assoyons généralement ensemble, parce que son mal des transports ne me gêne pas, mais aujourd'hui, il ne voulait pas s'asseoir à côté de moi. Vous voyez… chaque classe devait se déguiser en quelque chose de différent pour ce truc de reconstitution médiévale. Dans notre classe, il fallait se déguiser en paysans.

Les cinq meilleures raisons pour lesquelles se déguiser en paysan est le meilleur costume de tous :

1) Vous êtes CENSÉ être débraillé et couvert de poussière. Génial!

2) Si votre habit de paysan est trop propre, vous DEVEZ sauter dans les flaques d'eau pour le couvrir de boue.

3) Vous pouvez porter un collant (ce qui, étonnamment, est très confortable pour grimper aux arbres).

4) M'man ne peut pas dire : «Pas question que tu ailles à l'école fagoté de la sorte!» parce que je PEUX être fagoté de la sorte.

5) Vous pouvez faire de la boue à partir de terre tout à fait sèche, juste pour sauter dedans!

Frankie, mon bon gros zombie de poisson rouge, s'est bien amusé lui aussi avec cette histoire de s'arroser dans les flaques de boue. J'ai dévissé le bouchon de la gourde accrochée en bandoulière à mon épaule pour qu'il puisse regarder dehors.

— C'est le château de Pierrecastel, ai-je annoncé. Ç'a l'air sympa, hein?

Frankie a haussé les épaules comme s'il n'était pas trop impressionné, mais c'était avant d'entrevoir la douve qui entourait le château. Il s'est tortillé dans le goulot de la gourde pour en sortir un peu plus et il s'est collé à la fenêtre avant de se laisser retomber en faisant un son de floc boueux.

— Frankie, je ne suis pas censé salir mon costume de paysan! a lancé Pradeep en grommelant derrière nous.

Sa mère n'avait pas compris l'histoire de la tenue de paysan et l'avait envoyé à l'école dans une tunique crème immaculée avec un chapeau de feutre assorti orné d'une plume blanche, et un collant, crème lui aussi, pour couronner le tout. En fait, il avait plutôt l'air du petit garçon des publicités des barres Galak, en costume médiéval. C'était ça, la raison pour laquelle il ne pouvait pas s'asseoir avec moi.

— Dis donc, ai-je commencé. Tu ne vas pas me sermonner d'avoir emmené Frankie à une sortie scolaire? Ou à tout le moins me rappeler que, chaque fois que je l'emmène quelque part, nous finissons toujours par avoir des problèmes?

— Non! a marmonné Pradeep en remplissant un autre sac à vomi.

Il devait vraiment se sentir très malade.

Au même moment, le bus s'est arrêté à côté du château. Un homme qui avait des clochettes sur un chapeau vraiment ridicule a cogné sur la fenêtre du chauffeur avec un bâton orné des mêmes grelots.

— Bien le bonjour, gentilhomme, et bénédictions en abondance en cette glorieuse journée. Je me nomme Archibald de Latremblote.

Les clochettes se sont agitées lorsqu'il s'est incliné.

— Mais vous pouvez m'appeler Fou Duroi.

— C'est pas le nom d'un groupe rock, ça? a demandé le chauffeur.

— Certes, cher plaisantin! a acquiescé Fou Duroi en secouant bruyamment son bâton. C'est vous qui menez les paysans de la ville?

— Hein? a fait le chauffeur d'autobus.

Le fou s'est raclé la gorge.

— Ce n'est point grave. Faites signe aux jeunes personnes de se hâter vers le château, ensuite, menez votre char en ces lieux.

Il a agité son bâton de manière plus sèche en direction de l'aire de stationnement.

— De quoi? s'est enquis le chauffeur.

Fou a pris une grande inspiration.

— Faites sortir les enfants du bus, et allez vous garer là-bas.

— Ah bon! D'accord! a compris le chauffeur en hochant la tête, avant de nous crier : On descend ici! Ne laissez rien traîner dans le bus!

En disant ça, il regardait fixement en direction de Pradeep.

CHAPITRE 2
PASSEZ UN JOUR PAYSAN

Pradeep et moi avons ramassé ses sacs à vomi et nous sommes sortis du bus. Nous avons trouvé une poubelle, puis nous sommes allés nous mettre en ligne pour que les profs nous comptent. Depuis la fois où on a oublié un élève lors de la visite de l'usine de fabrication de croustilles, ils font très attention. Il avait eu le temps de dévorer cinq paquets grand format avant que quelqu'un le trouve. Je crois que l'école avait dû les rembourser.

Notre enseignante, madame Richard, s'est mise à parler à toute la classe.

— Pour ma part, je suis très emballée par la journée éducative et pertinente sur le plan historique que nous sommes sur le point de passer.

Elle souriait comme jamais je n'avais vu sourire un prof d'histoire. J'imagine que c'est parce qu'ils nous enseignent généralement des choses au sujet des guerres et des épidémies et autres trucs du genre.

— Maintenant, assurez-vous de bien écouter ce que va nous raconter notre guide, aujourd'hui.

— Oyez, oyez, vous tous qui estes venus visiter le château de Pierrecastel, s'est écrié Fou Duroi. Prestez l'oreille et je vais vous raconter les aventures qui vous attendent.

Il faisait trembler son bâton à clochettes en parlant.

— Nous allons resgarder les trois défis du Tournoi de Pierrecastel. En premier lieu, le tir à l'arc, où la précision des chevaliers sera mise à l'épreuve. Ensuite, le lever du rocher, pour connaistre leur force. Et à la fin, la joute, pour savoir la bravoure de chaque chevalier.

— J'ai vraiment hâte de voir le tir à l'arc! m'a chuchoté Pradeep.

— Moi aussi, ai-je renchéri. En plus, ça va être génial, pour une fois, de faire une sortie où il n'y aura absolument rien de « diabolique ».

Les mots étaient à peine sortis de ma bouche que j'ai entendu le rire.

— Mwhaaa haa haaa haa haa!

Puis, je l'ai vu. Mark, mon grand frère scientifique diabolique, qui était vêtu d'un épais manteau de velours brodé et de gros shorts bouffants. Il avait un collant foncé et des souliers pointus, et il se dirigeait vers notre classe avec d'autres élèves de son école. Ils portaient tous des vêtements sophistiqués et des chapeaux mous.

Fou Duroi s'inclina devant eux comme ils approchaient du pont-levis.

— Bonjour, gentilshommes et gentes dames du château. Les paysans sont arrivés pour travailler dans la cour du château.

Mark a fait l'un de ses sourires les plus sinistres.

— Super… euh, j'veux dire… à la bonne heure.

Ma gourde s'est mise à s'agiter d'un côté et de l'autre tandis que Frankie essayait de s'en échapper. Frankie et Mark sont des ennemis jurés depuis que Mark l'a plongé dans une fange toxique avant d'essayer de s'en débarrasser dans la toilette en tirant la chasse.

— Chuuut Frankie! ai-je chuchoté.

— Aujourd'hui, nous allons vivre une journée comme à l'époque médiévale, a annoncé madame Richard à notre classe. Alors, les désirs des sires et des dames, dans une mesure raisonnable, a-t-elle ajouté en fixant Mark, sont vos ordres. Paysans, rendons-nous au château.

— Argh! a lancé Mark en s'arrêtant subitement juste avant de mettre le pied sur le pont-levis. Je ne peux pas marcher dans cette flaque boueuse. PAYSAN! a-t-il crié.

Fou Duroi nous a fait signe à Pradeep et à moi d'aller l'aider.

Jetant ma gourde par-dessus mon épaule pour garder Frankie aussi loin que possible de Mark, j'ai croisé les bras avec ceux de Pradeep pour faire un siège et transporter Mark de l'autre côté de la flaque. Juste au moment où nous le reposions, le pied de Mark a donné un coup dans la boue et il nous a arrosé tous les deux.

— Beurk! a grogné Pradeep en essuyant la boue de son visage et de sa tunique.

— Désolé, s'est excusé Mark en souriant. Mon pied a dû glisser. Mwhaaa haa haaa haa haa!

Il a poursuivi son chemin avec le reste des sires et des dames, notre classe de paysans les suivant.

Frankie s'agitait ferme dans sa gourde et il poussait sur le bouchon. J'ai soulevé le bouchon de liège pour lui montrer que Mark était parti.

— Au moins, Mark ne s'est pas rendu compte que Frankie était ici, ai-je déclaré à Pradeep. Il n'y a aucun signe de Fang, le chaton vampire diabolique de Mark. Nous allons tout de même passer une journée amusante. Il faut juste nous assurer d'éviter Mark.

— C'est ça! J'veux dire, ça pourrait être pire! a plaisanté Pradeep. Sanj, mon grand frère diabolique génie de l'informatique, pourrait être là lui aussi.

C'est alors que nous avons entendu un râlement diabolique.

CHAPITRE 3

LE DIABLE EST AUSSI DIABOLIQUE QU'IL EN A L'AIR

— Dites-moi que je rêve ! me suis-je exclamé.

Dans un accoutrement complet de sorcier médiéval, Sanj, le grand frère diabolique génie de l'informatique de Pradeep, venait dans notre direction depuis le château.

— Beau chapeau, a affirmé Pradeep tandis que je remettais le bouchon sur le flacon pour que Frankie ne puisse pas se jeter sur Sanj.

— J'ai pensé que ce costume était approprié, puisque je suis un génie de l'informatique.

Sanj a fait l'un de ses sourires les plus sinistres.

— On a demandé à mon école d'élèves talentueux et doués de participer, et on nous a remis à tous des costumes qui correspondaient à nos talents, a-t-il expliqué en jetant un regard dédaigneux à nos habits de paysans. Tout comme à vous, apparemment, a-t-il ajouté en émettant son râlement sinistre alors qu'il se penchait vers nous.

Soudain, le bouchon et Frankie ont été projetés du goulot de la gourde et sont allés frapper Sanj directement sur le nez.

— Aïe! a crié Sanj en agitant sa baguette de sorcier à l'aveuglette.

— Frankie, arrête! ai-je lancé en arrachant le zombie de poisson rouge du nez de Sanj et en le remettant dans la gourde.

— Nnnnon nnnez! a dit Sanj, d'un ton nasillard comme s'il avait eu une dizaine de boules d'ouate enfoncées dans le pif. Nuu nnnas nnnne nnnayer nnna… pnoinnnon !

— Pardon ? ai-je demandé

— Je crois qu'il a dit, « Tu vas me payer ça… oignon ! » a dit Pradeep.

— Argh ! s'est écrié Sanj. Pnoinnnon ! Pnoinnnon !

— Oh, « poisson », avons-nous compris en même temps, Pradeep et moi.

— Ne nnais nne pnoinnnon ! a marmonné Sanj avant de partir en trombe vers le château.

— Oh, non, ai-je dit. Il va avertir Mark au sujet de Frankie, et ça signifie qu'il va y avoir du grabuge.

— Pas si nous nous tenons loin d'eux, a raisonné Pradeep.

Au même moment, les trompettes se sont mises à retentir encore une fois.

— C'est le signal pour le début du tournoi de tir à l'arc, Tom ! s'est écrié Pradeep. Allons-y avant de le manquer !

Nous sommes partis en courant vers le pont-levis, mais la cour était si bondée que nous ne pouvions pas voir les chevaliers. Pradeep a montré du doigt l'un des murs bas du château. Il était épais et solide, et il y avait des ouvertures où je crois qu'ils postaient les archers ou plaçaient les canons pendant les combats. Ça faisait de pratiques sièges pour voir le tournoi.

— Bonne idée, ai-je répondu. Nous allons voir super bien de là-haut.

J'ai accroché la gourde autour de mon cou et nous avons grimpé à des échelles de bois appuyées contre le mur.

D'en haut, nous pouvions voir dans la cour une masse de paysans. Les sires et les dames de l'école de Mark, et les sorciers doués et talentueux, les devins, les rois et les reines de l'école de Sanj étaient tous assis sur une plateforme qui faisait le tour de l'arène du tournoi, protégée par une clôture de bois. Puis, nous avons vu les chevaliers. Leurs armures brillaient sous les rayons du soleil alors qu'ils formaient une rangée. Des carquois remplis de flèches étaient accrochés à leur flanc et ils tenaient à la main de longs et lourds arcs. J'ai débouché le flacon pour que Frankie puisse voir lui aussi.

Fou Duroi s'est avancé devant la foule. Il a montré les cibles qui étaient alignées contre le mur du château.

— Bonjour, dames et sires, et gens du château. Bien vaigniez. Séance tenante, commence le premier de nos trois évènements ! Quiconque pourfendra la cible de la plus exacte manière remportera la victoire.

— Quoi ? a crié l'un des paysans.

— Celui qui tire le plus juste gagne le concours ! a précisé Fou Duroi.

Tout le monde a poussé des acclamations. J'ai aperçu Mark dans les gradins. Lui et Sanj se parlaient à voix basse en regardant du côté des chevaliers.

— Laissez-moi maintenant vous présenter nos preux chevaliers ! a crié Fou Duroi en faisant tinter son bâton.

Un chevalier dans une armure d'argent, décorée sur la poitrine d'une rose rouge enroulée autour d'une épée, s'est avancé.

— Le Chevalier de la Rose ! a annoncé Fou Duroi.

Le chevalier s'est incliné, et tout le monde a applaudi.

Frankie a jeté un coup d'œil hors de sa gourde, mais il n'avait pas l'air trop impressionné.

Ensuite, un chevalier qui portait une armure dorée et un heaume en forme de couronne pointue s'est avancé.

— Le Chevalier de la Couronne ! a lancé Fou Duroi dans un son de grelots.

Le chevalier s'est incliné à son tour et tout le monde l'a acclamé.

Frankie a bâillé.

— Ne sois pas impoli, Frankie, l'a réprimandé Pradeep. Tu ne pourrais pas faire ce qu'eux, ils font, n'est-ce pas ?

Frankie a jeté un regard mauvais à Pradeep, a sauté d'un bond hors de la gourde, puis sur le mur.

Il a ramassé plusieurs cailloux dans sa bouche, puis il s'est déplacé en remuant la queue jusqu'à ce qu'il soit en face de l'une des trompettes, situées sur le côté de l'arène. Puis, il a projeté les cailloux hors de sa bouche, qui sont sortis en faisant une série de petits claquements. Chacun des cailloux est allé rebondir au bout de l'instrument de laiton en faisant un son de mitraille de clochettes.

Frankie s'est frotté les nageoires et nous a regardés d'un air qui voulait dire : «Vous disiez?» avant de retourner dans la gourde.

CHAPITRE 4

DIABOLIQUEMENT DANS LE MILLE

— D'accord, c'était plutôt impressionnant, a convenu Pradeep en marmonnant tandis que le troisième chevalier s'avançait à son tour.

Il portait une armure argentée. Sa cuirasse et son bouclier étaient ornés d'un cheval blanc.

— Je vous prie d'accueillir... le Chevalier de Sanspeur! a crié Fou Duroi, et la foule a grondé.

Le Chevalier de Sanspeur s'est incliné, mais j'aurais pu jurer qu'il avait l'air un peu déçu que personne d'autre n'aime son nom.

En une seconde, les yeux de Frankie sont passés du blanc normal pour un poisson rouge au vert tourbillonnant.

— Pradeep! ai-je murmuré en lui montrant Frankie du doigt.

— Oh non! a dit Pradeep. Son sixième sens de zombie de poisson rouge doit être en train de lui dire qu'il est en présence de quelque chose de diabolique.

Au même moment, le dernier chevalier s'est avancé. Il était tout en noir. Armure, heaume et bouclier, tous noirs. Il était grand et costaud et il se tenait parfaitement immobile, attendant qu'on le présente.

— Il semble que nous ayons un retardataire pour le tournoi… a commencé à dire Fou Duroi en regardant sa liste de chevaliers, les sourcils froncés. Bien qu'il n'y ait aucun nom inscrit pour ce noble chevalier, a-t-il ajouté.

— Je lui ai parlé plus tôt, a crié Mark en se levant subitement, et il m'a dit qu'il s'appelait… hum… euh… Chevalier.

— Simplement « Chevalier » ? a demandé Fou Duroi.

— Nnnon, Nnennalier nne nna nnuit! a crié Sanj en se levant. Parnne qnne il est nnnoir nnnomme la nnuit.

— Vous me voyez désolé, noble sire, quel langage nous faites-vous odir? a demandé Fou Duroi.

— Euh… l'a interrompu Mark. C'est «de la Nuit», comme dans noir comme la nuit. Alors, il est le… Chevalier de la Nuit! Ouais, c'est ça, super.

— Bien vaigniez, noble Chevalier de la Nuit! a annoncé Fou Duroi en agitant ses clochettes.

La foule a applaudi de nouveau.

Le concours avait commencé et Frankie semblait s'être calmé, même s'il continuait à sortir la tête de la gourde pour regarder suspicieusement tout autour.

— Ça doit être Mark et Sanj qui ont déclenché le sixième sens zombie de Frankie, ai-je indiqué à Pradeep, qui a hoché la tête sans quitter les archers des yeux.

Le Chevalier de la Rose avait lancé sa première flèche dans le plus petit cercle. Puis, le Chevalier de la Couronne a tiré, et sa flèche est allée se ficher près du centre de la cible.

— C'est presque dans le mille! a crié l'un des seigneurs.

— Hé, pourquoi on appelle le centre de la cible le « mille »? ai-je demandé.

— En tir à l'arc, ce n'est pas comme ça qu'on dit, en fait, a dit Pradeep. Si tu touches le cercle jaune au centre, on appelle ça « l'or ».

Le troisième chevalier était sur le point de tirer. Le Chevalier de Sanspeur a visé soigneusement, puis il a

lâché la corde tendue de son arc pour tirer. Sa flèche a touché la cible directement dans le centre.

— Bien, en plein dans «l'or»! ai-je crié.

Les spectateurs dans la foule ont levé les yeux vers moi, ayant tous l'air de dire «QUOI?»

— Ils n'aiment de toute évidence pas le vrai tir à l'arc, a déclaré Pradeep en soupirant.

Le Chevalier de la Nuit était le dernier archer à tirer. J'ai aperçu Sanj qui tripotait sa baguette de sorcier, en la pointant vers le chevalier.

— Penses-tu que Sanj croit réellement avoir des pouvoirs magiques? ai-je plaisanté en le montrant du doigt.

Au même moment, le Chevalier de la Nuit a tendu la corde de son arc d'un mouvement puissant, mais saccadé. Il est demeuré immobile pendant un moment pour modifier sa visée… puis a tiré.

La flèche a filé dans les airs et est allée se planter dans la tige de la flèche du Chevalier de Sanspeur. La foule était en délire, mais le Chevalier de la Nuit ne s'est même pas donné la peine de faire un signe de la main. Il est demeuré immobile et a attendu.

Frankie s'est mis à s'agiter avec colère dans sa gourde. Ses yeux étaient d'un vert vif de zombie.

Pradeep m'a tapé sur l'épaule. Il tendait le doigt vers Mark, qui s'était levé et qui tenait son chapeau d'une manière qui donnait à penser qu'il essayait de cacher quelque chose. Mark a regardé en direction de Sanj et a hoché la tête. Sanj a souri.

— Qu'est-ce qu'ils peuvent bien manigancer? ai-je demandé à Pradeep.

CHAPITRE 5

UN CHEVALIER UN PEU BIZARRE

— Quelle victoire triomphante pour le noble Chevalier de la Nuit! s'est écrié Fou Duroi. Je n'aye jamais vu de tir de la sorte, a-t-il ajouté en agitant son bâton à clochettes tandis que les applaudissements de la foule se calmaient. Voilà donc notre vainqueur pour le premier concours, mais à qui échoira d'être couronné champion du tournoi?

Sur ce, le Chevalier de la Nuit est passé de manière saccadée devant les autres chevaliers, est sorti de l'arène et a traversé la foule avant de se diriger vers l'arrière du château en longeant les murs.

— Les chevaliers vont maintenant aller consommer quelques rafraîchissements, a annoncé Fou Duroi. Vos activités de la matinée vont commencer sans respit.

Les yeux de Frankie étaient revenus à leur couleur normale, mais il avait encore l'air plutôt crispé.

— Nous devrions peut-être aller chercher quelque chose à manger pour Frankie, pour le calmer... ai-je suggéré.

Nous sommes descendus et avons suivi une piste de substance verte visqueuse qui dégouttait sur la paroi des murs du château et en avons arraché de petits morceaux pour les donner à grignoter à Frankie. Les zombies de poisson rouge ne mangent que des aliments verts, et plus ils sont moisis et visqueux, mieux c'est, mais Frankie a aussi un faible pour les sucreries vertes. Nous étions si occupés à ramasser de la nourriture pour Frankie que nous n'avons même pas remarqué que nous nous étions approchés petit à petit du Chevalier de la Nuit, jusqu'à ce que nous nous retrouvions tout près de lui.

— Euh… Bonjour, M'sieur Chevalier de la Nuit, l'ai-je salué, surpris.

Les yeux de Frankie sont passés au vert clignotant, alors je l'ai rapidement enfoncé dans la gourde, puis j'ai bouché le goulot de ma main.

Le Chevalier de la Nuit ne nous regardait même pas.

— Euh… nous aimerions avoir accès à ce bout de mur vert derrière vous… S'il vous plaît? a ajouté Pradeep tandis que nous essayions de nous faufiler. Nous ramassons de la substance visqueuse pour… euh… un projet…

Juste au moment où nous commencions à gratter des bouts vraiment gluants, le Chevalier de Sanspeur s'est approché et a tapé le Chevalier de la Nuit sur l'épaule.

Le chevalier en noir n'a pas bougé d'un poil.

— Euh… a commencé à dire le Chevalier de Sanspeur. Sire Chevalier de la Nuit… Je voulais juste vous dire que j'admire votre façon de tirer, comme tout à l'heure. Excellente visée. Vous avez mérité de gagner cette manche.

Le Chevalier de la Nuit se contentait de rester là sans bouger, la visière de son heaume lui couvrant toujours le visage. Puis, il est passé devant le Chevalier de Sanspeur et s'en est allé.

Les épaules du Chevalier de Sanspeur se sont affalées et un petit soupir est sorti de sa visière.

— Bon… d'accord, a-t-il murmuré ensuite.

Pradeep m'a regardé, puis il a dit :

— Excusez-moi, sire Chevalier de Sanspeur, votre façon de tirer était géniale. Dans tout autre concours… vous auriez tellement gagné.

— En plus, vous avez décidément le nom le plus chouette, ai-je ajouté.

— Oh, ouais, merci !

Le chevalier a soulevé sa visière et nous avons pu voir que ce n'était pas un homme effrayant à barbe comme je l'avais imaginé. Mais il avait l'air très jeune en fait. Comme un ado.

— C'est mon premier tournoi, a-t-il admis. J'étais écuyer jusqu'à la semaine dernière, dans le club médiéval. J'ai pensé que le nom me donnerait l'air plus…

dur, vous voyez. Plus coriace que mon vrai nom, a-t-il ajouté.

— Quel est ton vrai nom ? a demandé Pradeep.

— Sébastien, a marmonné le chevalier. Pas exactement le genre de nom qui sème la terreur dans le cœur de vos adversaires, n'est-ce pas ?

— Ça dépend probablement de la manière de le prononcer, ai-je offert. Sébaaaaastiiiieeen ! ai-je essayé. SEB – AS – TI – EN.

J'ai secoué la tête.

— Non, tu as raison. Ça ne fonctionne vraiment pas.

— Ça n'a pas d'importance, de toute manière, a répondu Sébastien tristement. Avec la présence du Chevalier de la Nuit sur la scène, aucune chance de gagner.

— Tu ne penses pas qu'il y a quelque chose d'un peu bizarre, au sujet du Chevalier de la Nuit ? a demandé Pradeep à Sébastien.

— Il n'est pas très amical, c'est certain, a répondu Sébastien. Bon, il faut que j'aille m'exercer au lever du rocher. Ce n'est pas ma meilleure discipline.

— Laquelle est ta meilleure? s'est informé Pradeep.

— La joute équestre, a répondu Sébastien en souriant. J'ai le meilleur cheval pour la joute, Guenièvre. C'est la raison pour laquelle j'ai voulu être écuyer... pour m'occuper des chevaux. Puis, les gens qui dirigent le club médiéval ont découvert que je tirais bien à l'arc, aussi, et ils m'ont formé à devenir chevalier.

Il a tiré un sac de papier d'une poche dissimulée sous sa cuirasse.

— J'ai apporté des morceaux de sucre de différentes couleurs pour Guenièvre, comme petite récompense sucrée. Regardez, a-t-il dit en ouvrant le sac. Rose, jaune, orange, vert...

Dès que Sébastien a dit le mot «vert», Frankie a repoussé ma main qui obstruait le goulot et a bondi hors de la gourde, pour atterrir sur le gantelet de l'armure de Sébastien.

— Arrrrgggggghhhhh! s'est écrié le Chevalier de Sanspeur en faisant tomber les morceaux de sucre et Frankie sur le sol.

— Frankie! ai-je crié.

— Je te prie d'excuser les manières de notre poisson rouge, a déclaré Pradeep en se penchant pour le
ramasser et le remettre dans la gourde.

— C'est juste qu'il aime vraiment, vraiment beaucoup la nourriture verte, ai-je expliqué en farfouillant
sur le sol pour récupérer les morceaux de sucre.

— C'est bien ce que je peux voir, a lancé Sébastien.

Puis, il a laissé tomber un morceau de sucre vert
dans la gourde. Nous avons vite entendu un rot de
satisfaction à l'intérieur.

— Est-ce que votre poisson a… oh non… Vous allez penser que je suis en train de devenir fou, s'est interrompu Sébastien.

— Est-ce qu'il a quoi? lui ai-je demandé.

— Est-ce qu'il a lancé des cailloux sur l'une des trompettes, juste avant que le tournoi de tir à l'arc commence? s'est enquis Sébastien.

Pradeep et moi, nous avons eu l'air mal à l'aise.

— Oh. Ouais. C'était lui, ai-je confirmé.

— Dieu merci! s'est exclamé Sébastien. J'ai cru que le trac s'était emparé de moi, et que je commençais à halluciner des choses! Il n'est pas mal.

Frankie a sorti la tête de la gourde et a fusillé Sébastien du regard.

— Bon d'accord! Il est très bon, s'est corrigé Sébastien en souriant. Je n'ai jamais vu un poisson domestique faire ça avant. En fait, je n'ai jamais vu avant un poisson domestique faire autre chose que nager en rond.

— Frankie est un peu spécial, ai-je répondu.

Au même moment, j'ai entendu la voix de madame Richard derrière nous.

— Les garçons! a-t-elle lancé. Vous allez être en retard pour l'activité de boulangerie. Ça va bientôt commencer!

— Faut que nous y allions, ai-je dit en remettant le bouchon de liège sur la gourde.

— Nous nous verrons à la prochaine épreuve du tournoi, Sébastien, a lancé Pradeep. J'veux dire, seigneur Chevalier de Sanspeur!

Sébastien nous a fait un signe de la main et s'est dirigé vers les écuries.

J'ai jeté à Pradeep un regard qui signifiait : «Ce qui se passe avec le Chevalier de la Nuit doit avoir quelque chose à avoir avec Mark et Sanj. Nous n'avons pas de temps à perdre à faire du pain quand il y a une enquête qui nous attend!»

«Attends que nous arrivions aux cuisines, a répondu Pradeep du regard. Je crois que j'ai un plan.»

CHAPITRE 6
SIRE FRANKIE D'ORANGE

— Le moindre morceau de pain apporté à la table du roi a commencé par un grain de blé moulu ici, expliquait Fou Duroi.

— Tu as dit que tu avais un plan? ai-je chuchoté à Pradeep tandis que nous nous installions à un poste de travail pour frapper du blé au moyen de pierres à meuler.

— Pendant que tout le monde est occupé, nous demandons à Frankie d'hypnotiser Fou Duroi pour qu'il ne remarque pas que nous nous éclipsons, m'a-t-il répondu en chuchotant lui aussi. Personne ne va remarquer deux paysans qui font quelques courses autour du château. Nous portons déjà le déguisement parfait!

Nous avons attendu que madame Richard sorte pour emmener quelques élèves

au petit coin du château.

— C'est le moment! a lancé Pradeep.

J'ai ouvert la gourde.

— Tu es prêt, Frankie?

Il a fait un signe de tête.

J'ai suspendu la gourde à une poutre qui était directement dans la ligne de vision de Fou Duroi. Frankie a sorti la tête, et ses yeux ont commencé à tourbillonner en cercles verts zombie brillants. Le fou s'est mis à parler de plus en plus lentement.

— Le processus de froufrou poissonnet pétrissage de la froufrou poissonnet pâte en miches froufrou poissonnet est long et…

— Ça marche, a chuchoté Pradeep. Maintenant, endors-le, Frankie.

Tout le monde était plutôt occupé à pétrir sa pâte à pain, donc très peu d'enfants ont remarqué que Fou Duroi s'était endormi au lieu de continuer à parler.

Pradeep et moi nous sommes levés, nous avons décroché la gourde et sommes sortis de la cuisine sur la pointe des pieds. Au moment où nous passions la porte, nous avons vu un chaton familier tourner le coin du corridor avant de disparaître. Frankie s'agitait dans sa gourde.

— Fang! nous sommes-nous exclamés en même temps, Pradeep et moi.

— J'aurais dû y penser que le chaton vampire diabolique de Mark serait dans les parages, ai-je souligné. Ça signifie sans aucun doute que Mark et Sanj mijotent quelque chose de diabolique.

— Peut-être que la chatte va nous mener à leur repaire médiéval secret? a proposé Pradeep.

Alors que nous suivions Fang au détour du couloir, nous avons entendu la voix de madame Richard, qui provenait du haut de l'escalier se trouvant devant nous.

— Ces toilettes historiquement reconstituées font partie de l'exposition du château. Vous pouvez les regarder, mais VOUS NE LES UTILISEZ PAS! tonnait-elle. Non. Servez-vous des toilettes modernes de la salle voisine, comme tout le monde. Faites vite! Vous êtes-vous lavé les mains? Nous allons y retourner pour les laver. Parce que nous nous servons de ces mains-là pour faire du pain, n'est-ce pas? LAVEZ-LES. MAINTENANT!

— Ohhh! Un chaton! a couiné la voix d'une fille.

Fang avait dû passer devant elle avant d'entrer dans les toilettes!

— À l'époque médiévale, on ne gardait pas les chats comme animaux domestiques, mais pour éloigner les souris du château, a expliqué madame Richard. Ils ont vraiment pensé à tout, pour cette reconstitution.

Nous nous sommes arrêtés brusquement en haut de l'escalier.

— Bon, maintenant que tout le monde a les mains propres, redescendons à la cuisine, a indiqué l'enseignante.

— Elle va nous voir, ai-je remarqué en regardant autour de moi pour trouver une cachette. Vite… Cachons-nous sur ce rebord de fenêtre.

J'ai déposé la gourde de Frankie et j'ai poussé sur une vieille fenêtre de métal et de verre qui pivotait sur une barre centrale. Je me suis faufilé le premier, puis Pradeep s'est hissé péniblement sur le rebord du premier étage après moi. Nous nous sommes déplacés doucement de manière à nous tenir de chaque côté de la fenêtre, hors de vue.

Pradeep a regardé vers le bas, puis vers moi avec de grands yeux.

— Nous nous tenons en équilibre sur un rebord à l'extérieur d'un château au-dessus d'une douve pour nous cacher d'un prof pendant que nous pourchassons un chaton diabolique, a-t-il chuchoté. C'est exactement le genre de chose que je n'avais pas envie de faire aujourd'hui.

Nous avons entendu des bruits de pas lorsque madame Richard et les élèves sont passés devant la fenêtre.

— M'dame, a dit la voix d'une fille. Quelqu'un a oublié sa bouteille ici.

J'ai regardé Pradeep d'un regard qui voulait dire : «Elle ne veut pas parler de la gourde de Frankie, n'est-ce pas? Tu l'as bien ramassée, dis-moi?»

Pradeep a secoué la tête.

— Elle doit appartenir à quelqu'un du château, a indiqué madame Richard. Accroche-la là-bas dans les toilettes historiques et quelqu'un va la trouver.

Nous avons attendu que les bruits de pas disparaissent et avons commencé à nous glisser vers la fenêtre lorsque nous avons vu deux petites pattes poilues pousser la fenêtre pour la fermer et entendu le bruit du loquet qui s'enclenchait.

— Noooon ! avons-nous crié tous les deux.

CHAPITRE 7
SA MAJESTÉ FANG

— Je ne peux pas croire que ce chaton diabolique vienne tout juste de nous enfermer dehors! ai-je lâché avec humeur.

Soudain, nous avons entendu Fang qui crachait et feulait, et le clapotis de nageoires qui raclaient la pierre.

— Je crois que Fang et Frankie se sont trouvés l'un l'autre! a souligné Pradeep. Il faut que nous retournions là-dedans!

— Regarde, il y a une autre fenêtre ouverte par là.

J'ai tendu le doigt en direction du rebord.

Prudemment, nous nous sommes glissé à petits pas jusqu'à ce que nous atteignions l'ouverture. Pradeep a reniflé l'air.

— Produit nettoyant au parfum de pin… c'est sûrement la fenêtre des toilettes !

À l'intérieur, on pouvait toujours entendre les miaulements et les clapotis de nageoires.

— Frankie est sorti de sa gourde depuis des lustres, à l'heure qu'il est ! ai-je indiqué. Il doit avoir besoin d'eau. Pourquoi ne saute-t-il pas simplement dans l'une des toilettes ?

Pradeep était dans un de ces moments où vous saviez qu'il examinait tous les dossiers que contenait son cerveau, éliminant toutes les explications peu probables avant d'arriver à l'unique conclusion raisonnable. Il arrive à faire ça beaucoup plus rapidement que moi parce que j'ai tendance à me laisser distraire par des choses qui n'arriveraient probablement jamais, mais qui seraient très amusantes si elles arrivaient.

Son visage est enfin passé à son expression «Eurêka!»

— C'est parce que ce sont des latrines, a-t-il répondu. C'est sûrement les toilettes historiques dont parlait madame Richard. Pas d'eau courante, juste une ouverture au-dessus de la douve qui passe dessous.

Nous nous sommes faufilés par la fenêtre. Frankie et Fang étaient engagés dans leur combat. Frankie avait l'air épuisé, tandis que Fang semblait prête à lancer un nouvel assaut. J'ai rapidement agrippé la gourde où elle avait été accrochée et je l'ai projetée sur Fang. La surprise a été de courte durée, mais c'est tout ce dont avait besoin Frankie.

— Jette-toi dans les latrines! a crié Pradeep à Frankie. Nous irons te chercher dans la douve plus tard!

Frankie a levé les yeux vers nous.

— Vas-y, Frankie, ai-je crié.

Frankie s'est hissé par-dessus le rebord de la toilette de pierre et s'est laissé dégringoler dans le trou. Fang a bondi derrière lui, mais quand elle s'est rendu compte qu'il n'y avait rien d'autre qu'une chute assurée dans la douve, elle a vite changé d'idée.

Il y a eu un « plouf » lorsque Frankie a atteint la surface de l'eau avant de disparaître.

CHAPITRE 8

UN BANQUET DIGNE D'UN POISSON

Fang a craché avec colère depuis son perchoir en haut de la toilette de pierre.

— CHiiiiiissssss !

— Qu'est-ce qui fait tout de boucan ? a-t-on entendu dire la voix de madame Richard près du petit coin historiquement reconstitué.

Fang a fait un bond de terreur et a filé à toute vitesse devant la prof avant de dévaler l'escalier, en feulant tout au long de sa course.

— Qu'est-ce que vous faites là, tous les deux ? nous a réprimandés madame Richard. Même si Fou Duroi est tombé endormi, ce n'est pas une raison pour vagabonder dans les corridors.

— Nous… euh… a commencé à dire Pradeep.

— Nous portions assistance à la chatte, ai-je menti en croisant mes doigts derrière mon dos. Nous avons entendu miauler et… euh…

— Nous sommes venus voir et nous avons trouvé la chatte en détresse, a continué Pradeep.

Ce qui, techniquement parlant, était vrai.

— Elle est presque tombée dans le trou de la toilette, mais finalement, non, ai-je ajouté.

Ce qui était vrai, ça aussi.

— Ah, vraiment? a dit madame Richard en nous regardant avec l'air de se demander si nous disions la vérité ou non. J'imagine que c'est très chevaleresque de votre part.

— Hein? ai-je fait.

— La chevalerie est l'un des principes des chevaliers, a expliqué Pradeep. Cela signifie être galant et avoir de bonnes manières.

— Ouais, j'imagine que c'est ça que nous étions, ai-je affirmé en croisant de nouveau les doigts.

— Bon, eh bien, c'est l'heure du repas, a souligné la prof, alors venez avec moi jusqu'à la grande salle. Fou Duroi y a déjà emmené le reste de la classe.

— Hum, je crois que j'ai laissé tomber quelque chose dans la toilette historiquement reconstituée pendant que nous étions... euh... en train de porter secours à la chatte, ai-je protesté.

— Si tu as laissé tomber quelque chose dans la douve, c'est perdu, désolée.

Le visage de madame Richard avait l'air plutôt sévère.

Je savais que je ne pouvais pas insister. Frankie allait devoir attendre.

J'ai pris la gourde sur le sol, là où je l'avais lancée de manière très peu chevaleresque à Fang, et j'ai suivi madame Richard dans l'escalier, puis dans les couloirs du château.

À l'intérieur de la grande salle, tous les paysans étaient déjà assis à des tables toutes simples le long des murs. Les marchands, les soldats et les négociants étaient installés dans des fauteuils confortables à de longues tables au centre de la pièce, et les seigneurs, les dames et les invités spéciaux étaient tous assis aux tables se trouvant sur une plateforme surélevée à l'avant de la salle.

Les trompettes ont commencé à jouer de nouveau et tout le monde s'est levé lorsque les quatre chevaliers du tournoi ont pris place au centre de la table principale.

Tous les chevaliers avaient retiré leur heaume pour s'asseoir, sauf le Chevalier de la Nuit.

Je voyais que Fou Duroi essayait de lui parler, mais le Chevalier de la Nuit l'ignorait totalement. Pradeep m'a donné un coup de coude pour me montrer Sanj, qui, une fois de plus, tripotait sa baguette.

Fou Duroi a essayé de nouveau. Cette fois, le Chevalier de la Nuit a secoué la tête et Fou Duroi s'est incliné et a repoussé de la main l'assiette de pain et de potage qu'un serviteur était sur le point de déposer sur la table.

Les autres chevaliers étaient déjà en train de manger de bon appétit, et l'on déposait sur leurs tables des paniers de pain et des plateaux de fruits et de viandes.

J'ai regardé la bouillie dans le bol de bois devant moi.

— Frankie adorerait ça, ai-je dit en touillant mon gruau vert. J'espère qu'il va bien.

— Ce n'est pas parce que nous n'avons pas pu aller le chercher que Frankie ne sera pas capable de nous retrouver, m'a assuré Pradeep. Je suis certain qu'il va trouver un moyen.

J'ai regardé vers les tables du haut pour voir que des gens qui faisaient semblant d'être des serviteurs remplissaient des gobelets. Sébastien a tendu le sien.

Alors que le serviteur y versait de l'eau, j'aurais pu jurer voir un éclair orange tomber du pichet dans le gobelet du Chevalier de Sanspeur.

CHAPITRE 9

UN GOBELET DE POISSON ROUGE

— Je crois que je viens de voir Frankie, ai-je chuchoté à Pradeep.

Sébastien a rapidement mis sa main sur son gobelet et a regardé tout autour, scrutant la foule jusqu'à ce qu'il nous aperçoive, Pradeep et moi. Son regard disait, très clairement : « Excusez-moi, mais je crois que votre poisson est dans mon gobelet ! »

Nous avons tous les deux levé le pouce et mon regard lui a répondu : « Tiens bon, nous venons le chercher. »

Au même moment, Fou Duroi a levé son verre et a fait signe à tout le monde de faire la même chose.

— Levons notre gobelet, a-t-il proposé. À toutes les nobles dames et tous les nobles seigneurs qui nous ont offert ce festin.

Le Chevalier de la Couronne, le Chevalier de la Rose et Sébastien ont tous levé leur verre. Le Chevalier de la Nuit n'a pas bougé.

— N'allez-vous porter un toast à nos hôtes, noble sire ? lui a demandé Fou Duroi, mais le Chevalier de la Nuit continuait de demeurer immobile.

— C'est une insulte suprême, a chuchoté Pradeep. C'est vraiment très peu chevaleresque aussi. Aucun vrai chevalier n'agirait de la sorte.

— Ce sont tous des chevaliers pour faire semblant, Pradeep, ai-je contré. Sébastien entraîne des chevaux dans un club médiéval, le gars à la couronne est probablement dentiste et le gars à la rose travaille sans doute dans un centre de jardin. Tout ça, c'est du chiqué.

— La chevalerie est bien réelle, a marmonné Pradeep.

Au même moment, Mark a attrapé la baguette de Sanj et le Chevalier de la Nuit a levé son verre d'un mouvement sec.

Fou Duroi a souri.

— À nos nobles hôtes !

Tout le monde a répété après lui, puis a pris une gorgée. Enfin, tout le monde sauf le Chevalier de la Nuit, qui a levé son verre jusqu'à sa visière, puis en a versé le contenu sur son plastron. Sanj a arraché la baguette des mains de Mark et ils ont commencé à se chamailler à voix basse.

L'espace d'un instant, j'ai cru voir une étincelle et un tressaillement chez le Chevalier de la Nuit avant qu'un serviteur vienne éponger le liquide avec un linge.

— Ça, c'était étrange, ai-je chuchoté à Pradeep.

— Étrange, et suspect, a-t-il renchéri.

— Étrange, suspect et plutôt diabolique, ai-je ajouté. Il faut que nous allions voir ce Chevalier de la Nuit de plus près.

— Cette baguette magique, aussi, a déclaré Pradeep.

— Mais pour l'instant, nous avons un plus gros problème, ai-je indiqué en regardant Sébastien, qui avait l'air d'en avoir plein la bouche!

Pradeep a souri.

— Bien sûr! Le toast. De ne pas boire n'aurait pas été chevaleresque, même s'il y a un zombie de poisson rouge dans votre gobelet. C'est le signe qu'il est un vrai chevalier.

— Je crois que ce vrai chevalier a besoin de notre aide, ai-je répondu. Allez, viens!

Nous sommes partis en courant vers la grande table et avons tenu le chapeau de Pradeep devant le visage de Sébastien juste au moment où il a «vomi» l'eau et le poisson dans le chapeau.

J'ai rapidement recouvert le contenu de mon manteau.

— Merci, jeune paysan, a dit Sébastien en nous jetant un regard de soulagement. Je me suis soudain senti indisposé.

Puis, il a chuchoté :

— Je ne croyais pas que le poisson allait sauter dans ma bouche lorsque j'ai pris une gorgée à mon gobelet!

— Ne vous en faites pas... euh... j'veux dire, c'est notre devoir de vous aider, sire Chevalier... de Trucmuche.

Je me suis incliné, puis j'ai murmuré :

— Désolé, il fait ça parfois. Je crois qu'il voulait simplement se venger parce que nous l'avions abandonné dans la douve.

— Merci de ne pas avoir trahi Frankie, a ajouté Pradeep. Bonne chance à l'épreuve du lever du rocher!

Nous avons reculé avec le chapeau toujours recouvert, jusqu'à ce que nous trouvions madame Richard.

— M'dame, ça va si nous allons laver ça? lui ai-je demandé.

— Bien sûr! s'est-elle écriée en prenant bien soin de ne pas s'approcher du chapeau. Vous viendrez ensuite nous rejoindre dans la cour pour le prochain défi du tournoi.

Une fois rendus dehors, nous avons regardé dans le chapeau.

— Frankie, ça va? Tu n'as rien? lui ai-je demandé.

Il a hoché la tête.

— Est-ce que tu sais ce qui se passe avec le Chevalier de la Nuit? a ajouté Pradeep. Est-ce qu'il fait partie d'un plan diabolique?

Frankie a hoché de nouveau, puis il a commencé à marcher au pas avec raideur dans l'eau du chapeau.

— Le Chevalier de la Nuit est un soldat? a essayé de deviner Pradeep.

Mais Frankie a secoué la tête. Il a tendu ses nageoires devant lui puis s'est avancé avec raideur, mais sans marcher au pas comme un soldat.

— C'est une momie? ai-je tenté.

Frankie et Pradeep m'ont regardé tous les deux d'un regard qui voulait dire : « Vraiment ? C'est à ça que ça te fait penser ? »

Frankie a secoué la tête, de découragement.

Puis, il a commencé à faire des bulles d'eau pour épeler « Bip, bip, bip ! »

— Le Chevalier de la Nuit est une voiture ? ai-je demandé.

Frankie s'est pris la tête.

— Oh non ! s'est écrié Pradeep. Je crois que Frankie est en train de dire…

qu'il croit que le Chevalier de la Nuit est un robot ! a-t-il poursuivi à voix basse.

CHAPITRE 10

LE SECRET PAS SI SECRET DU CHEVALIER DE LA NUIT

Frankie a alors hoché la tête et ses yeux sont devenus verts et se sont mis à clignoter.

— Le Chevalier de la Nuit est un robot! me suis-je écrié. Ça explique les étincelles que nous avons vues.

— Le fait qu'il ne mangeait pas, et les mouvements saccadés, a ajouté Pradeep.

— Son incroyable habileté au tir à l'arc, ai-je renchéri. Tu es sûr, Frankie?

Frankie a haussé les épaules.

— Alors il faut que nous allions voir si c'est vrai, a déclaré Pradeep.

Nous avons versé Frankie dans la gourde juste au moment où notre classe s'approchait.

— Ah, je vois que tu as fini de nettoyer ton chapeau, a dit madame Richard à Pradeep. Maintenant, venez, les garçons, sinon vous serez en retard pour le défi du lever du rocher.

Nous sommes retournés vers l'endroit où se tenait le tournoi dans la cour. On avait posé un gros rocher au centre de l'arène gazonnée.

Les chevaliers se tenaient autour et se sont inclinés lorsque les seigneurs et les dames se sont lentement dirigés vers leurs sièges sur la plateforme. Cette fois, le cheval de chaque concurrent était attaché non loin, prêt pour le dernier évènement, la joute équestre. Les chevaux portaient sur leur selle l'emblème de leurs chevaliers respectifs, sauf le grand cheval noir avec une selle noire et un couvre-tête. Sébastien se tenait près du bord de l'arène avec une jument blanche. Il lui flattait le chanfrein et lui a donné un morceau de sucre, paume ouverte. Il devait s'agir de Guenièvre.

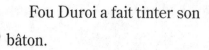

Fou Duroi a fait tinter son bâton.

— Seigneurs et dames, sommes-nous prêts pour le deuxième défi du tournoi… l'épreuve de force ?

La foule a poussé des acclamations. Nous avons vu Sanj et Mark qui étaient assis à l'autre bout des gradins avec leurs écoles. Le chapeau de Mark était placé comme avant, comme s'il cachait quelque chose, alors que Sanj pointait sa baguette en direction du Chevalier de la Nuit.

— Je vais aller voir ce que mijote Mark, ai-je chuchoté à Pradeep en lui tendant la gourde de Frankie. Tu surveilles Sanj et tu vois si tu peux approcher Frankie du Chevalier de la Nuit.

Le Chevalier de la Couronne s'est avancé jusqu'au rocher. Il s'est penché et de ses deux mains, il a réussi à le soulever du sol jusqu'à hauteur des genoux, avant de le laisser retomber.

Tout le monde s'est mis à applaudir.

Avant que le Chevalier de la Rose soit prêt, j'avais réussi à aller me placer sous les gradins et j'étais caché jusque sous la rangée de sièges où se trouvait Mark. Je ne voyais Fang nulle part, mais elle ne devait pas être bien loin.

Par la fente entre les sièges, j'ai vu le Chevalier de la Rose soulever le rocher jusqu'à la taille. Puis, il s'est mis à trembler et l'a laissé tomber. Mark a déposé son chapeau à ses pieds pour pouvoir applaudir.

— Ha! Espèce de perdant, a-t-il gloussé. Tu vas échouer, comme tous les autres.

En mode totalement furtif, j'ai tendu la main en silence et soulevé le rebord du chapeau de Mark. Il y avait une petite caméra numérique cachée à l'intérieur! Mark filmait les défis. Mais pourquoi? On nous avait bien dit de n'apporter ni téléphones portables ni caméras. Je me suis baissé de nouveau et je suis reparti subrepticement tandis que Sébastien prenait place.

— Le Chevalier de Sanspeur! a annoncé Fou Duroi au moment où je revenais m'asseoir à côté de Pradeep.

Sébastien a pris la grosse pierre et l'a soulevée jusqu'à sa taille. Il l'a ensuite levée un peu plus haut, puis encore un peu plus. J'ai alors remarqué que Sanj jetait un regard à Mark, qui a mis sa main dans sa poche et qui en a sorti une fronde et un ballon gonflé rempli d'eau.

— Regardez! a soudainement crié Sanj. Une corneille… qui porte un chapeau!

Lorsque tout le monde s'est retourné pour regarder du côté où il pointait sa baguette, Mark a propulsé la baudruche d'eau sur Guenièvre.

La jument s'est mise à hennir et à reculer en piétinant le sol. Sébastien s'est immédiatement tourné vers son cheval et a laissé tomber le rocher.

— Aiiiiieeeeeee! a-t-il alors hurlé en sautillant sur un pied. Mon orteil!

Pradeep et moi, nous nous sommes approchés en courant de la lice qui encerclait l'arène.

— Est-ce que ça va ? ai-je lancé à Sébastien.

— Je crois que je me suis cassé l'orteil, a répondu le chevalier en criant. Est-ce que Guenièvre va bien ? Je l'ai entendue hennir comme si elle avait été blessée.

— Je crois qu'elle a seulement été surprise par quelque chose.

— Allons voir, a lancé Pradeep.

— Je sais ce qui a fait peur à Guenièvre, ai-je chuchoté à Pradeep. C'était Mark ! Il lui a lancé un ballon rempli d'eau. Il filme aussi le tournoi en secret.

Tandis qu'on transportait Sébastien dans la tente médicale, Pradeep et moi nous sommes précipités à l'endroit où Guenièvre était attachée à côté de l'arène pour tenter de la calmer.

— Voilà, ma belle, ai-je tenté de la rassurer en essayant de flatter son flanc à travers la clôture, mais elle n'arrêtait pas de donner des coups de sabot sur le sol et je n'arrivais pas à m'approcher.

Frankie a sauté hors de la gourde que tenait Pradeep. Il a bondi par-dessus la clôture pour retomber sur le museau de Guenièvre, les yeux étincelant d'un vert de zombie. L'instant d'après, la jument hennissait doucement, un œil rivé sur la clôture et l'autre fixant l'intérieur de la narine gauche de Pradeep. J'ai rapidement remis Frankie dans la gourde avant que quiconque puisse le voir.

— Merci, Frankie, ai-je murmuré.

— Bon, a dit Pradeep. Mark et Sanj doivent vraiment vouloir que le Chevalier de la Nuit, qui peut ou non être un robot diabolique, gagne ce tournoi. Ils doivent avoir besoin de preuves sur vidéo. La question est de savoir pourquoi.

— Je ne sais pas, ai-je répondu. Mais maintenant, il faut aussi nous occuper d'un cheval zombifié! Qu'est-ce qui pourrait aller encore plus mal que ça?

CHAPITRE 11

À LA POURSUITE D'UN CHATON

Au moment même où les mots «plus mal» sont sortis de mes lèvres, Fang a traversé la cour à toute vitesse, a grimpé par-dessus un mur situé près des gradins et s'est dirigée vers l'escalier qui menait à l'une des tourelles du château.

— Il faut que tu cesses de dire des choses comme ça! a grommelé Pradeep.

— T'en fais pas, ai-je chuchoté en guise de réponse. Mon petit doigt me dit que si nous suivons

Fang, nous allons en apprendre davantage au sujet du Chevalier de la Nuit.

— Il n'y a rien que nous puissions faire de toute manière pendant que Guenièvre est hypnotisée et que l'on traite Sébastien dans la tente-infirmerie, a répondu Pradeep. Allons-y.

Alors que nous prenions un raccourci en passant sous les gradins, j'ai vu que Mark avait déposé sa fronde et ses ballons d'eau à ses pieds. J'ai tendu la main et je m'en suis emparé. Au moins, je pouvais ainsi m'assurer qu'il ne ferait plus peur à aucun des chevaux.

Je les ai rangés à l'intérieur de mon collant, dans mon dos, et je me suis mis à courir pour rattraper Pradeep. C'est une erreur fondamentale des costumes de paysans de ne pas avoir de poches. Les paysans devaient bien avoir à transporter des choses, n'est-ce pas? Je n'arrive pas à croire qu'ils transportaient tout dans leurs collants.

Alors que nous franchissions la porte au bas des marches de la tourelle, Pradeep a mis un doigt devant ses lèvres pour faire signe de ne pas faire de bruit.

Puis, il a fait avec ses mains un autre signe qui voulait dire «chatte» et a montré les marches du doigt.

J'ai hoché la tête et nous avons commencé à grimper.

Lorsque nous sommes arrivés en haut, nous nous sommes retrouvés dans l'embrasure de la porte d'une pièce circulaire. Elle était dotée de fenêtres étroites sans vitre; deux chaises et une table de bois se trouvaient au milieu de la pièce. Les yeux de Frankie se sont mis à briller de leur éclat vert vif, ce qui a produit une lueur sinistre dans la pièce.

— Mark et Sanj doivent se servir de cet endroit comme repaire diabolique médiéval, a chuchoté Pradeep.

Leurs affaires traînaient sur la table et sur le sol.

Sacs à dos, matériel informatique, câbles, outils et plans de quelque chose… nous nous sommes approchés tous les deux pour regarder de plus près.

BOUM! La porte de la pièce a claqué derrière nous et nous avons entendu un ronronnement diabolique et le son d'une clé qui tournait dans la serrure.

— Fang! nous sommes-nous écriés tous les deux.

Pradeep a couru jusqu'à la porte et a secoué la poignée, mais sans succès. Nous étions pris au piège.

Entre-temps, Frankie avait réussi à se hisser hors de la gourde, et il s'est lancé dans la fente sous la porte en essayant de se faufiler dehors.

— Ça ne sert à rien, Frankie, tu es trop gros, ai-je protesté. Ce chaton diabolique nous a bien eus.

— Encore une fois, a ajouté Pradeep d'un air sombre.

Il a tendu la gourde pour que Frankie puisse sauter dedans.

Soudain, quelqu'un a glissé un petit morceau de parchemin sous la porte. Pradeep l'a pris et nous avons commencé à lire.

Comme vous l'aurez certainement deviné à l'heure qu'il est, le chaton vous a eus et vous êtes prisonniers dans la tour. (Insérer un rire diabolique ici.) Pour que cette prochaine partie du plan se mette en œuvre, vous devez :

* vous être rendu compte que le Chevalier de la Nuit est un robot guerrier soigneusement conçu, super fort et précis;

* avoir suspecté que nous sommes les créateurs et les opérateurs de cette création incroyable et potentiellement révolutionnaire dans le monde de la science diabolique, que nous aimons comparer à la Mona Lisa de la robotique;

Puis l'écriture était différente, ressemblant davantage aux scribouillages de Mark...

* ou avoir apporté le crétin de poisson, ce qui aurait totalement gâché les choses, alors nous avons dû vous mettre hors d'état de nuire.

Quoi qu'il en soit, vous êtes maintenant pris au piège, sans moyen de fuir jusqu'à la fin de la journée, lorsque les parents vont venir assister à la joute finale avant de ramener leurs enfants à la maison.

J'imagine alors que quelqu'un va peut-être penser à venir vous chercher ici.

Oh, j'oubliais, et pour vous dissuader de crier à l'aide, Fang va maintenant faire passer en boucle un enregistrement de corneilles qui croassent, ce qui va masquer les cris provenant de la tour.

Nous avons entendu le déclic d'un bouton de l'autre côté de la porte et les haut-parleurs accrochés sur les murs près des fenêtres de la tour se sont mis à cracher des sons de corneilles à tue-tête.

Vous voyez, nous avons vraiment pensé à tout. (Insérer un autre rire diabolique ici.) Profitez bien de votre séjour dans la tour...

Puis, l'écriture a changé de nouveau.

Ouais, les crétins. Amusez-vous bien à regarder les quatre murs de la pièce pendant que nous gagnons toutes les épreuves du tournoi ! Réussi !

En fait, il n'y a qu'un seul mur, puisque la pièce est circulaire. Juste pour être plus précis.

On s'en fiche! C'était juste pour que ça soit effrayant, mec.

Ça ne demande pas plus de temps d'être à la fois effrayant et précis.

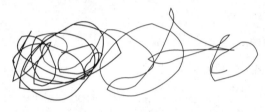

Puis, il y avait des ratures qui donnaient à penser qu'ils avaient essayé de s'arracher le stylo.

Pradeep a froissé le morceau de papier et l'a jeté sur le sol. Puis, il l'a repris et l'a posé sur la table. Pradeep a vraiment horreur de jeter des détritus par terre, même lorsqu'il est en colère.

— Je ne vais même pas dire que je ne peux pas croire que nous sommes tombés dans le vieux piège «suivons le chaton dans la tourelle isolée», parce que nous sommes vraiment tombés dedans, a souligné Pradeep.

Je suis allé à la fenêtre pour voir ce qu'il se passait dans la cour en dessous de nous.

Je voyais Sébastien, à qui on était en train de faire un pansement au pied à l'extérieur de la tente-infirmerie. Guenièvre avait encore l'air plutôt zombifiée et le Chevalier de la Nuit se tenait au centre de l'arène à côté du rocher.

Pradeep a commencé à fouiller dans les affaires de Sanj et de Mark.

— Hé! Regarde ça! a-t-il crié pour couvrir le son des corneilles. Je crois que j'ai trouvé quelque chose.

CHAPITRE 12

DE VRAIS PLANS DIABOLIQUES

Pradeep a tendu des plans d'un chevalier robot. Il y avait aussi un plan de télécommande en forme de

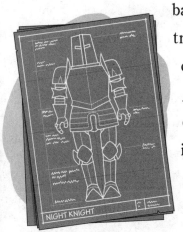

baguette magique. Puis, il a montré un dépliant annonçant un concours du magazine *Le scientifique diabolique* pour la création du « Robot le plus diabolique » et il l'a lu à voix haute :

— « Le gagnant du meilleur design obtiendra une adhésion automatique à la Société des

fabricants de robots diaboliques et aura la chance de

voir son design produit à la chaîne dans notre usine de robots. »

Il y avait aussi des avertissements en petits caractères. Pradeep a plissé les yeux et a continué à lire.

— « … Tous les robots doivent être fonctionnels et être accompagnés des plans, et tous leurs pouvoirs et leurs habiletés doivent être documentés sur support vidéo. »

— Alors le Chevalier de la Nuit est bien un robot diabolique ! ai-je hoqueté. C'est aussi pourquoi Mark a filmé le tournoi ! Pour documenter les pouvoirs du robot !

— J'imagine que c'est pour ça qu'ils l'ont inscrit au concours, a ajouté Pradeep. À quel autre moment peut-on faire tirer des flèches à un robot, ou lui faire soulever des rochers ou le faire monter à cheval ? Cette journée de reconstitution médiévale est la couverture parfaite.

J'ai de nouveau regardé par la fenêtre et j'ai soulevé la gourde pour que Frankie puisse voir lui aussi. Le Chevalier de la Nuit commençait à soulever le rocher. Il était déjà rendu à la taille.

— Il va battre Sébastien facilement, ai-je remarqué. Alors, ça va être terminé... ils vont gagner le concours du magazine *Le scientifique diabolique* et nous ne pourrons rien faire pour les arrêter.

Nous avons tous les deux pensé à ce que Mark et Sanj pourraient faire avec une armée de Chevaliers de la Nuit sous leur emprise. Ce n'était pas une pensée réjouissante.

J'allais me laisser tomber sur le sol lorsque je me suis souvenu de la fronde et des ballons d'eau dans mon collant. Je vois déjà que vous vous dites : « Comment peut-on oublier qu'on a une fronde et deux ballons d'eau dans son collant ? », mais j'avais eu beaucoup de choses dans la tête au cours des minutes qui avaient précédé. Je les ai donc sortis et je les ai montrés à Pradeep.

— Peut-être que nous ne pouvons pas arrêter le Chevalier de la Nuit, mais que nous pourrions le ralentir...

J'ai chargé le premier ballon dans la fronde et j'ai visé.

Pradeep a examiné les plans, cherchant un point faible où l'eau pourrait s'infiltrer.

— Lance le ballon sur la visière du Chevalier de la Nuit ou sur ses mains, m'a-t-il intimé. Il y a des interstices pour permettre le mouvement des pièces, et l'eau pourrait y pénétrer.

J'ai essayé la visière en premier. Le ballon d'eau s'est envolé de la fronde et est allé effleurer la tête

du chevalier. J'ai cru voir quelques étincelles, mais le robot n'a pas lâché la pierre. Il la tenait alors à hauteur de poitrine, et il continuait de lever. J'ai ensuite visé ses mains. Il ne me restait qu'un ballon, il fallait donc que je porte un coup marquant. Cette fois, j'ai frappé dans le mille! La main gauche du Chevalier de la Nuit a commencé à trembler, puis elle s'est immobilisée.

Mark et Sanj ont commencé à sauter sur place de rage, et Sanj s'est donné un coup de baguette sur sa propre main.

Le Chevalier de la Nuit s'était arrêté.

— Nous avons réussi! ai-je crié, puis je suis allé faire un tope-là à Frankie.

Mais il a fait un signe de tête en direction du Chevalier de la Nuit et a secoué la tête. Je n'arrivais pas à le croire! Le Chevalier de la Nuit avait déplacé le roc dans sa main droite et il le soulevait maintenant au-dessus de sa tête.

La foule a retenu son souffle et s'est mise à pousser des «Oh!» et des «Ah!»

Enfin, il a fait un pas en arrière, puis a laissé tomber le rocher sur le sol !

— Nous croyons clairement avoir un vainqueur ! résonna la voix de Fou Duroi, qui couvrait les croassements des corneilles provenant de la tour. Nous allons maintenant faire une courte pause pour préparer les nobles montures avant de nous apprester à voir la dernière épreuve, la joute équestre !

Il a adressé sa prochaine allocution à la foule de gens qui se pressait à la barrière du pont-levis.

— Bien vaigniez, familles des jeunes enfants du château. Vous serez escortés aux gradins de l'arène de joute qui se trouvent du côté du château. Vous pouvez trouver la classe de votre jeunot et l'accompagner si ainsi vous le désirez.

— Je sais que ta mère ne pouvait pas venir, mais la mienne sera là d'une minute à l'autre avec Sami, a affirmé Pradeep. Il faut que nous descendions là-bas.

— Il faut aussi aller voir si Sébastien peut encore participer à la joute ! ai-je ajouté. Il faut que quelqu'un arrête le Chevalier de la Nuit, et Mark et Sanj !

Pradeep regardait les fenêtres et la porte, et il comptait le nombre de pas entre chacune. Puis, il a commencé à faire des calculs sur une feuille de papier au haut de laquelle Sanj avait écrit « Liste des choses diaboliques à faire ».

— Je crois que j'ai trouvé un moyen de faire passer Frankie de l'autre côté de la porte.

Pradeep a regardé dans le trou de la serrure.

— On dirait que Fang a laissé la clé sur la serrure.

— Mais Frankie n'est-il pas trop gros pour passer sous la porte ? ai-je dit.

— Oui, mais il n'est pas trop gros pour passer par la fenêtre, et la fronde non plus, a répondu Pradeep.

CHAPITRE 13

DÉJOUÉS PAR UN POISSON VOLANT

Pradeep a fait un dessin pour expliquer son plan. Nous allions lancer Frankie par la fenêtre étroite avec la fronde par-dessus le sommet de la tourelle. Ensuite, il retomberait en parachute en se dirigeant vers la fenêtre de l'escalier. Puis, tout ce que Frankie aurait à faire serait de sortir la clé de la serrure avec sa bouche et la passer sous la porte pour que nous puissions ouvrir la porte, et nous serions libres.

Frankie a sorti la tête de la gourde et a hoché la tête.

— Nous n'avons pas exactement de parachute de poisson rouge sous la main, ai-je souligné.

— Oui, nous en avons un, a répondu Pradeep en souriant et en sortant un mouchoir bien plié de sa poche. Tu vois, il faut juste attacher...

— Attends un peu, ai-je interrompu Pradeep. Tu as des poches dans ton costume de paysan ?

— Oh ouais, m'man en a posé, a répondu Pradeep. Je sais que ce n'est pas tout à fait exact du point de vue historique, mais qui veut se balader dans un costume sans poches ?

J'ai haussé les épaules.

— Il nous reste juste à fixer des fils aux quatre coins pour en faire un parachute. Ça va sans aucun doute soutenir le poids de Frankie, a expliqué Pradeep.

— Il nous faut juste des fils, donc, ai-je renchéri en commençant à tirer des fils autour du bord de ma tunique. Ça devrait faire l'affaire.

Nous avons attaché les fils aux coins du mouchoir puis avons donné les extrémités nouées ensemble à Frankie pour qu'il les coince entre ses mâchoires.

Puis, nous l'avons délicatement sorti de la gourde et posé dans la bande de cuir du lance-pierre.

— Tu es prêt, Frankie ? lui ai-je demandé.

— Il suffit de diriger ton parachute vers la fenêtre de l'escalier et tout va bien se passer, l'a rassuré Pradeep.

J'ai sorti les deux bras de la fenêtre et j'ai visé directement vers le haut.

— Un peu plus vers la droite, maintenant, vers le haut, encore un peu, voilà… a dit Pradeep. Maintenant, feu !

— Sois prudent, Frankie ! ai-je murmuré.

J'ai tendu les élastiques du lance-pierre et j'ai envoyé Frankie dans les airs.

Nous avons couru vers la fenêtre opposée pour voir si nous pouvions apercevoir le parachute-mouchoir de Frankie.

De fait, quelques secondes plus tard, un parachute blanc avec les lettres *P* et *K* délicatement brodées sur l'un des coins est passé devant la fenêtre en portant un poisson rouge qui semblait soufflé par le vent.

Frankie a disparu hors de notre vue, mais nous avons entendu le furtif battement du mouchoir et le son mouillé d'un poisson rouge qui tombait sur le sol alors que Frankie atterrissait de l'autre côté de la porte.

L'instant d'après, nous avons entendu la clé tomber sur le sol. Frankie l'a poussée sous la porte avec sa queue, et j'ai rapidement déverrouillé la porte, puis ramassé Frankie pour le replonger dans la gourde remplie d'eau.

— Bien joué, Frankie! me suis-je écrié.

Il m'a fait un clin d'œil, comme pour me dire «Hé! Je suis un pro. Je fais ce genre de choses tout le temps!»

J'ai attrapé les plans et les ai enfoncés dans mon collant avant de dévaler l'escalier.

Au lieu d'entrer dans la cour au pied de l'escalier, nous nous sommes faufilés le long de l'entrée principale en passant devant les vieilles armures et les boucliers de l'exposition. La salle menait à une sortie près des écuries, où nous espérions trouver Sébastien.

Nous avions raison.

— Ah! vous voilà! a-t-il dit en boitillant vers nous. Je vous cherchais. Je me suis foulé le gros orteil, et je ne peux pas faire l'épreuve… mais vous aviez raison, il y a quelque chose d'étrange au sujet du Chevalier de la Nuit. Je crois qu'il triche, ce qui ne fait vraiment pas partie du code d'éthique des chevaliers. Il faut prouver qu'il ne suit pas les règles, mais je ne sais pas comment.

— Eh bien, nous pensons que le Chevalier de la Nuit est en réalité un robot diabolique, ai-je expliqué.

— Un quoi? a demandé Sébastien en secouant la tête.

— En fait, plus comme un jouet télécommandé géant, m'a corrigé Pradeep.

— Nos grands frères diaboliques l'ont fabriqué pour gagner une sorte de concours, ai-je ajouté.

S'ils gagnent, ils auront beaucoup d'autres robots de Chevaliers de la Nuit... tous sous les commandes de Mark et Sanj.

— Si le Chevalier de la Nuit est un robot, alors il faut aller le dénoncer. C'est la bonne chose à faire, a déclaré Sébastien.

Nous avons appelé Fou Duroi, qui passait non loin, portant les lances de la joute.

— Excusez-moi, Monsieur Duroi, l'a interpellé Sébastien. Je veux vous dire que le Chevalier de la Nuit participe à la compétition sous un prétexte.

— Que dites-vous, sire ? a répondu Fou Duroi. Ce sont là des allégations bien graves que vous me faites.

— Oui, mais c'est la vérité. Sur mon honneur, sire, je crois que le Chevalier de la Nuit est un robot.

Fou Duroi a regardé Sébastien, puis s'est mis à rire d'un gros rire gras.

— Eh bien, sire, vous faites là une considérable plaisanterie ! Maintenant, nous ne devons plus avoir d'interruption. Je dois me rendre promptement faire commencer l'épreuve de la joute.

Il a tendu à Sébastien l'une des lances de joute.

— Un robot ? Il va ensuite m'annoncer qu'il s'agit d'un robot diabolique ! a marmonné le fou pour lui-même en s'éloignant.

— Je savais bien qu'ils n'allaient pas nous croire sans preuve, ai-je souligné.

— Mais il se pourrait bien que nous soyons capables d'en obtenir, des preuves, a rétorqué Pradeep.

Il m'a regardé, puis a posé les yeux sur la lance que tenait Sébastien.

— Mais c'est tout de même un plutôt gros POURRAIT BIEN, a-t-il ajouté.

— Peu importe de quoi il s'agit, je vais vous aider. Oh, et je crois qu'il y a aussi quelque chose qui cloche chez Guenièvre. Elle a l'air un peu sonnée et confuse, a ajouté Sébastien.

Frankie a sorti la tête de la gourde d'un air coupable.

— Euh… Eh bien, nous avons voulu la calmer. Alors Frankie l'a en quelque sorte hypnotisée, l'ai-je informé.

— Votre poisson rouge est donc aussi chuchoteur pour chevaux, par-dessus le marché ? a demandé Sébastien.

— Disons plutôt un zombifieur de chevaux, a répondu Pradeep. Mais ne t'en fais pas, il n'y a aucun effet secondaire. Ma petite sœur a été zombifiée des dizaines de fois par Frankie.

C'est alors qu'on a entendu au loin quelqu'un crier FROUFROU POISSONNET! FROUFROU POISSONNET! et Sami, la petite sœur de Pradeep, âgée de trois ans, a traversé la grande entrée en galopant sur le sol de pierre, habillée en princesse médiévale avec tous les accessoires, hennin et voile compris.

CHAPITRE 14

LA PRINCESSE ET
LE POISSON ROUGE

Sami est arrivée directement sur nous et a attrapé Frankie dans la gourde pour lui faire un gros câlin.

— Salut, Sami, a dit Pradeep. Est-ce que m'man est avec toi?

— Maman court pas vite, a lancé Sami.

Puis, elle s'est figée sur place et a commencé à fixer Sébastien dans son armure de chevalier. Elle a tendu la main et a cogné sur sa jambe de métal.

— Vrai chevalier? a-t-elle demandé.

— Salut, petite princesse, l'a saluée Sébastien en souriant. Je suis tout à fait vrai… et je suis à ton service.

Puis, il s'est incliné en agitant la main devant son visage d'une manière élégante et totalement chevaleresque. Si, moi, je faisais ça, j'aurais l'air de chasser des mouches médiévales.

Sami s'est mise à rigoler et a rougi. Puis, elle a fait une révérence.

— Monsieur Chevalier, a-t-elle dit.

— C'est ma petite sœur, Sami, l'a présentée Pradeep. Sami, je te présente Sébastien.

Elle a réfléchi pendant un instant avant de faire une grimace.

— Pas un nom de chevalier.

Elle a fait non de la tête.

— Je sais ! a répondu Sébastien en souriant à Sami.

— Alors, dites-moi votre plan, a-t-il poursuivi en s'adressant à nous.

— Si tu ne peux pas participer à la joute, peut-être que Tom ou moi, nous pourrions le faire à ta place? Nous pourrions faire semblant d'être le Chevalier de Sanspeur, a proposé Pradeep.

— Est-ce que l'un de vous deux sait monter à cheval? a demandé Sébastien. Ou manipuler une lance de joute? Ou peut porter mon armure?

Nous avons tous les deux secoué la tête. Peut-être bien que notre plan ne fonctionnerait pas, après tout.

La mère de Pradeep est arrivée en courant.

— Sami, a-t-elle dit, à bout de souffle. Je t'appelle depuis que tu as traversé le pont-levis en courant.

— Oups, a fait Sami en se tournant vers Sébastien. Regarde… vrai chevalier.

Madame Kumar a tendu le bras pour serrer la main de Sébastien, mais il l'a soulevée et y a déposé un léger baiser.

— Je m'appelle Sébastien, Madame. Je suis enchanté de faire votre connaissance. Vous avez une petite fille charmante.

— Oh, comme c'est adorable! a lancé madame Kumar en rougissant à son tour.

Puis, elle s'est tournée vers Pradeep, a eu un hoquet en le voyant et a immédiatement sorti une serviette humide de son sac à main pour enlever la boue de sa tunique.

— Je ne peux pas te laisser te promener autour du château comme ça! l'a-t-elle réprimandé.

— M'man! a bredouillé Pradeep. Ça va. Tous les autres paysans ont des habits boueux.

— Est-ce que ce sont mes paysans? a-t-elle répondu.

— Non.

Sami tirait sur la jupe de madame Kumar.

— Moi peux rester avec Pradeep? a-t-elle demandé avec des yeux suppliants. S'il vous plaît?

— D'accord, a concédé madame Kumar en lui tapotant la tête. Je vais aller nous chercher quelque chose à boire. Pradeep, tu vas surveiller Sami? Je reviens dans 10 minutes. J'espère vous revoir aussi, plus tard, Monsieur Sébastien, a-t-elle lancé en se dirigeant vers la tente où l'on vendait des rafraîchissements.

— Il faut que nous pensions à un autre plan, a chuchoté Pradeep. Mais quoi ?

Soudain, Guenièvre est arrivée en trottant derrière nous et a poussé la gourde de Frankie avec son museau. Elle avait encore son regard fixe de zombie et elle était très calme.

— Je croyais que tu étais dans l'arène… a indiqué Sébastien en lui flattant le museau. Est-ce que tu es venue ici toute seule ? Comment as-tu su où nous trouver ?

Frankie m'a fait un clin d'œil, de l'intérieur de la gourde.

— Attendez, suis-je intervenu. Je crois savoir ce que nous pourrions faire.

CHAPITRE 15

UN DEMI-CHEVALIER DE SANSPEUR

— Pas besoin de savoir monter à cheval, ai-je déclaré à Sébastien tandis que Sami flattait la crinière de la jument blanche. Frankie peut diriger Guenièvre de manière à ce que le déplacement ne soit pas dangereux ni pour elle ni pour nous.

— Tu es en train de me dire que Frankie est en train de diriger Guenièvre en ce moment même ? a demandé Sébastien.

— Ouais, c'est quelque chose qu'il fait souvent, a admis Pradeep.

— Mais vous ne pouvez pas concourir sans armure, a rétorqué Sébastien.

— Nous avons vu beaucoup d'armures dans la salle, ai-je répondu.

— Oui, nous pouvons utiliser une de celles-là! a ajouté Pradeep en courant vers la grande salle.

Nous avons laissé Guenièvre dans une stalle de l'écurie et avons suivi Pradeep à l'intérieur. Il se tenait à côté de l'une des armures, mais il ne lui arrivait qu'à la taille.

— Je suis désolé de vous l'annoncer, mais je ne crois pas qu'elles vont t'aller, a remarqué Sébastien en souriant.

J'ai alors couru vers Pradeep et je suis monté sur son dos et ses épaules.

— Han! a marmonné Pradeep.

— Mais elle nous irait à tous les deux ensemble, me suis-je écrié.

J'ai posé la gourde en équilibre sur le chapeau que je portais.

— Frankie apporte la touche finale parfaite.

— Oui, bien d'accord, a accepté Pradeep. Comme ça, Frankie peut voir où diriger Guenièvre et nous, nous allons tenir la lance de joute.

— Je ne sais pas si c'est bien sécuritaire, a souligné Sébastien. Vos jambes ne vont pas toucher le sol… comment allez-vous faire pour marcher?

— Nous n'aurons pas besoin de marcher! ai-je lancé. Nous pouvons monter sur Guenièvre dans l'écurie, alors personne ne va nous voir sur pied.

— Mais le Chevalier de la Nuit est beaucoup, beaucoup plus fort que vous. Même avec l'aide de Frankie, a insisté Sébastien. Comment prévoyez-vous de l'arrêter?

Pradeep avait cet éclat dans le regard comme toutes les fois où un plan vraiment, vraiment bon commence à se dessiner dans son esprit.

— Eh bien, a-t-il commencé. Nous savons que le Chevalier de la Nuit s'arrête de fonctionner lorsqu'il est trop mouillé. Alors si nous réussissons à diriger un jet d'eau sur lui pour l'atteindre à un endroit vulnérable, nous pouvons l'arrêter au beau milieu de la joute.

Il a regardé la lance que tenait Sébastien.

Mon cerveau commençait enfin à rattraper celui de Pradeep.

— Il nous suffit de trafiquer la lance pour en faire un très long pistolet à eau, ai-je suggéré.

— Nous allons faire une chaîne de pailles que nous allons prendre du kiosque à rafraîchissements et la faire courir le long de la lance, de la pointe jusqu'à Frankie dans la gourde, a poursuivi Pradeep.

Frankie a sorti la tête du goulot de la gourde et a lancé un jet d'eau à Sébastien.

— Tu sais qu'il tire bien ! ai-je ajouté en tendant à Sébastien le mouchoir-parachute pour qu'il s'essuie le visage.

Sébastien est demeuré silencieux un moment, puis il nous a regardés tour à tour, Pradeep et moi,

puis il a posé les yeux sur Frankie et ensuite sur l'armure.

— D'accord, Tom, va chercher des pailles au kiosque, moi, je vais prendre l'armure et l'apporter aux écuries, puis nous allons vous installer dedans et vous préparer pour la joute, a-t-il indiqué.

— Yééééé! s'est exclamée Sami en sautant sur place et en frappant des mains.

— Lorsque vous serez prêts, je vais aller dire aux juges que j'ai délégué mon écuyer pour participer à l'évènement à ma place. Ça fait partie des règles, qu'un écuyer puisse servir de remplaçant, et vous deux, vous êtes ce qui se rapproche le plus d'un écuyer, a-t-il ajouté.

Pradeep et moi, nous avons installé la longue paille pour qu'elle coure depuis le heaume le long du bras de l'armure, puis l'avons fixée tout le long de la lance. Il ne restait plus à Frankie qu'à envoyer un jet d'eau dans les pailles, en direction de la visière du Chevalier de la Nuit.

Sébastien a mis les jambes de l'armure en selle sur le dos de Guenièvre, puis il a soulevé Pradeep pour le faire asseoir à l'intérieur.

Ensuite, il m'a soulevé aussi, puis a fixé le tronc de l'armure. Finalement, il a posé la gourde de Frankie en équilibre sur ma tête en enroulant nos chapeaux et en s'en servant pour coincer la gourde dans le heaume. Je n'aurais jamais pensé qu'il aurait pu faire aussi noir dans une grosse armure de métal.

— Je vais aller avertir les juges maintenant, a déclaré Sébastien une fois que nous avons tous été bien installés.

— Ça va aller, Sami? a marmonné Pradeep.

— Ouaip! a crié Sami.

J'entendais les rumeurs de la joute qui avait lieu dans la cour. Enfin, j'ai présumé qu'il s'agissait de la joute. J'entendais des chevaux qui galopaient, puis le bruit de ferraille de métal qui heurtait d'autre métal.

— Es-tu bien certain que nous serons en sécurité dans cet habit, Pradeep ? lui ai-je demandé.

— Il faut juste tenir suffisamment longtemps pour arroser le Chevalier de la Nuit, a-t-il répondu. Nous ne serons même pas frappés… du moins je l'espère.

J'ai entendu des pas s'approcher, puis nous avons senti le raclement d'un gant de métal contre le plastron arrière de l'armure.

— Voici mon fidèle écuyer Pra… Tom, a annoncé Sébastien. Voici la princesse Sami.

Nous avons entendu Sami rigoler.

— Pra-tom ? a dit un homme, et j'ai cru entendre le son d'un crayon sur du papier. C'est un nom bien intéressant.

— Han, han, ai-je répondu à voix forte sous la visière du heaume.

— C'est dommage que tu ne puisses pas concourir toi-même, mais la foule sera tout de même heureuse de voir la joute finale, a annoncé l'homme. Les papiers sont en règle. Bonne chance, Pra-tom. Je crois que tu vas en avoir besoin, a-t-il ajouté entre ses dents.

— M'man regarde! avons-nous ensuite entendu Sami s'écrier. Froufrou poissonnet chevalou!

— Bonjour, madame Kumar, l'a saluée Sébastien. Vous arrivez juste à temps.

Puis, il s'est adressé à Sami.

— Peut-être que tu devrais aller avec ta maman maintenant, pour que nous puissions préparer... le chevalier ici présent... pour la joute.

— OK, a accepté Sami. Bye, bye, froufrou poissonnet chevalou.

— Pradeep et Tom sont partis voir la joute avec leur classe, alors? a demandé madame Kumar.

— Hum hum, a fait mine de tousser Sébastien. Euh... ils ne vont pas avoir la meilleure vue, de là où ils sont assis, mais ils vont certainement pouvoir avoir une bonne idée de la joute.

— Bon, a dit madame Kumar. Alors, viens, ma princesse.

Tout de suite après, Guenièvre s'est mise à avancer.

— Ça y est ! ai-je murmuré.

— Mmph ! a répondu Pradeep en chuchotant.

Je crois qu'il se sentait un peu écrasé.

Puis, nous avons entendu la voix de madame Richard.

— Excusez-moi, sire ?

Elle devait certainement parler à Sébastien.

— Avez-vous vu passer deux garçons dans des habits de paysans ? Ils sont peut-être déjà allés s'asseoir avec leurs parents ?

— Euh… je crois qu'ils sont déjà assis à leur place pour la joute finale, a marmonné Sébastien. C'est sur le point de commencer.

— Oui, c'est probablement là qu'ils sont. Merci.

— Il a réussi à se débarrasser de toutes les deux sans même mentir ! a marmonné Pradeep. Tu vois, la chevalerie, ça existe !

— Respect, ai-je dit. Sébastien, ai-je ensuite crié à travers l'armure. Est-ce que tu vois Mark et Sanj quelque part ? Sanj est habillé en sorcier, et Mark, en seigneur.

Sébastien a donné un petit coup sur l'armure.

— Oui, ça doit être eux. Ils sont de l'autre côté de la cour, en train de parler au Chevalier de la Nuit. Il est déjà sur son cheval.

Il m'a ensuite mis la lance dans les mains et il a tripoté les pailles pour vérifier qu'elles étaient toutes bien reliées entre elles.

— Bon, a-t-il ajouté, les chevaliers de la Rose et de la Couronne en sont à leur passage final. Vous êtes les prochains. Êtes-vous toujours certains de vouloir continuer ?

— Nous ne pouvons pas laisser gagner le Chevalier de la Nuit, a répondu Pradeep. Ce n'est tout simplement pas chevaleresque.

— Nous ne pouvons pas non plus laisser Mark et Sanj participer au concours du magazine *Le scientifique diabolique.* Je ne veux même pas imaginer ce que nos grands frères diaboliques pourraient faire avec une armée de Chevaliers de la Nuit, ai-je ajouté.

Sébastien a ajusté la lance de manière à ce qu'elle soit coincée sous le bras de l'armure, a fixé les rênes autour de mon autre gant et a mis l'autre extrémité de la paille dans la bouche de Frankie, sous le heaume.

— Quand nous serons suffisamment près, envoie l'eau, Frankie ! a grommelé Pradeep. Tom, tiens-toi bien.

— Compris! ai-je lancé tandis que Sébastien menait Guenièvre au point de départ de la joute.

Puis, j'ai entendu un dernier martèlement des sabots des chevaux et un son qui ressemblait à s'y méprendre à un chevalier désarçonné.

CHAPITRE 16

SIRE PRA-TOM LE CHEVALERESQUE

Les trompettes se sont de nouveau fait entendre et la voix de Fou Duroi a tonné dans la cour.

— Seigneurs et dames, et nobles invités du château de Pierrecastel. Ayez l'obligeance de vous lever pour la joute finale de cette journée!

La foule s'est mise à applaudir et à pousser des acclamations.

— Accueillons… le Chevalier de la Nuit, a-t-il crié.

Nous avons entendu le martèlement de sabots, et d'autres acclamations.

— Et… le noble escuyer du Chevalier de Sanspeur…
Pra-tom!

La foule nous a acclamés, nous aussi.

— Le dangereux et mortel tournoi de la joute commence sans respit!

— Je crois que je pourrais bien changer d'idée, a déclaré Pradeep juste au moment où Guenièvre s'est mise à galoper.

Nous étions secoués sur le dos du cheval. J'entendais les sabots de la monture du Chevalier de la Nuit qui approchaient, et juste au moment où j'imaginais que nous allions être piétinés, j'ai senti un filet d'eau couler de la gourde tandis que Frankie crachait de l'eau à travers les pailles jusqu'au bout de la lance.

Mais il y avait quelque chose qui n'allait pas. Le Chevalier de la Nuit continuait de charger vers nous. Sa lance a heurté la nôtre à toute vitesse. J'en ai senti toute la force et je suis tombé à la renverse. Si la selle n'avait pas été munie d'un rebord à l'arrière, je crois que nous aurions été projetés au sol!

— Frankie ? Pradeep ? Est-ce que ça va ? ai-je marmonné tandis que Guenièvre continuait de galoper sur
la piste.

— Pourquoi est-ce que nous ne pouvons jamais
faire une sortie scolaire normale ? a grommelé
Pradeep, et Frankie m'a envoyé de l'eau sur la tête pour
me signifier qu'il allait bien.

Lorsque nous sommes arrivés de l'autre côté,
l'un des autres écuyers a attrapé les rênes et a retenu
Guenièvre tandis que Sébastien arrivait en boitillant.

— Est-ce que ça va, là-dedans? a-t-il chuchoté en nous redressant sur la selle et en faisant se retourner le cheval. Ça ne s'est pas tout à fait passé comme prévu.

— Le Chevalier de la Nuit a dû faire dévier notre tir, a répondu Pradeep.

— Exactement, a confirmé Sébastien. Votre lance était pointée directement vers sa tête, mais le Chevalier de la Nuit a changé de position et a bloqué le coup. L'eau est allée sur son plastron, et non sur sa visière.

— Il faut essayer de nouveau, ai-je affirmé.

— Votre lance est brisée, a indiqué Sébastien en prenant la lance-pistolet à eau et en coinçant une autre sous le bras de l'armure. J'ai emprunté une lance de rechange, mais elle n'est pas équipée du jet d'eau… Je sais que vous ne voulez pas entendre ça, mais vous devez arrêter et déclarer forfait. Avant d'être blessés.

Frankie s'agitait comme un fou dans sa gourde.

— Calme-toi, Frankie, sinon tu risques de tomber, lui ai-je intimé.

Mais ça n'a fait que l'agiter davantage.

— Attends. Peut-être que c'est ça qu'il veut faire ? a proposé Pradeep. Se jeter contre la visière du Chevalier de la Nuit et lui lancer de l'eau à bout portant.

Sébastien a soulevé notre visière et a jeté un coup d'œil à Frankie.

— Il hoche la tête, a-t-il annoncé.

— C'est bien ça qu'il veut faire.

Les trompettes ont retenti pour annoncer la deuxième ronde.

— Non, c'est trop risqué, a refusé Sébastien. Vous devez déclarer forf… froufrou, petit poissonnet… froufrou, petit poissonnet…

— Frankie ! ai-je murmuré. Est-ce que tu viens juste de zombifier Sébastien pour qu'il ne t'en empêche pas ?

J'ai senti Frankie qui hochait la tête.

— Ce n'est peut-être pas une si bonne idée que ça… a commencé à dire Pradeep, mais Guenièvre s'était déjà lancée sur la piste.

Le bruit des sabots augmentait et augmentait, et je me souviens avoir senti les lances se frapper l'une l'autre.

— Tiens-toi bien, Pradeep ! me suis-je écrié.

L'instant d'après, j'ai entendu un « zoum » indiquant que Frankie s'était jeté hors du heaume. Il y a eu un « tchak » et ensuite des chuintements et des grésillements, et Guenièvre a commencé à ralentir.

— On dirait qu'il a réussi ! s'est écrié Pradeep.

— Mais est-ce que Frankie va bien ? ai-je crié.

Le son des sabots du cheval de notre adversaire s'éloignait de plus en plus. Puis, nous avons entendu un gros « pop », comme si une énorme bouteille de cola explosait parce qu'on y avait mis trop de pastilles à la menthe.

— Je crois que c'était le bruit du circuit imprimé du Chevalier de la Nuit qui grésillait, a remarqué Pradeep.

— Ç'a marché! ai-je exulté. Mais il faut que nous allions à la rescousse de Frankie. Comment faisons-nous arrêter Guenièvre?

CHAPITRE 17

DESTRIER EN CAVALE

— Je ne suis pas certain que Frankie dirige toujours le cheval, m'a crié Pradeep.

Nous étions projetés de tous côtés tandis que Guenièvre tournait à droite, puis à gauche, puis reculait, semblant ne plus savoir où se lancer.

Soudain, nous avons entendu la voix de Sébastien résonner depuis l'autre côté du terrain.

— Hooolà, Guenièvre !

Si Sébastien n'était plus zombifié, ça ne pouvait signifier qu'une seule chose… Frankie devait être K.-O. Ou pire…

— Bonne fille, dit la voix de Sébastien.

Guenièvre s'est calmée instantanément.

— Je vous tiens, les gars, a-t-il ajouté.

J'ai senti un à-coup dans les rênes.

— Est-ce que vous allez bien, là-dedans? s'est-il enquis.

— Moi, ça va. Qu'en est-il de toi, Pradeep? lui ai-je demandé.

— Beurk… je crois que j'ai le mal de cheval, a-t-il marmonné.

— Sébastien, où est Frankie? l'ai-je questionné. Il faut le remettre dans l'eau immédiatement!

— Je ne sais pas, a admis Sébastien. Le cheval du Chevalier de la Nuit a eu un peu peur lorsque son cavalier s'est mis à grésiller. Il a sauté par-dessus la barrière de l'arène et s'est dirigé vers la douve. Nous pouvons aller nous cacher derrière les gradins pour que je puisse vous faire descendre du dos de Guenièvre et vous faire sortir de l'armure. Puis, nous pourrons aller chercher Frankie tous ensemble.

Moins d'une minute plus tard, Sébastien a retiré le heaume et défait l'armure pour nous libérer, Pradeep et moi. Mon ami avait le teint plutôt vert à cause de son mal de cheval. Dès qu'il a mis le pied à terre, nous sommes partis en courant derrière la foule qui se dirigeait vers la douve, Sébastien tenant Guenièvre par les rênes derrière nous.

— Que s'est-il passé par ici? criait Fou Duroi comme nous arrivions au pont-levis.

Nous avons pu voir le Chevalier de la Nuit, assis dans la douve, de l'eau lui montant jusqu'à la poitrine. Il ne bougeait pas, mais un nuage de fumée sortait de sa visière. Son cheval se tenait à côté de lui et se désaltérait.

L'équipe médicale du château était déjà dans l'eau, et ils enlevaient délicatement le heaume du chevalier. La foule a poussé une exclamation en ne voyant rien d'autre à l'intérieur qu'un circuit imprimé grésillant.

Fou Duroi s'est gratté la tête, ce qui a fait tinter davantage ses grelots.

— Ces garçons et le Chevalier de Sanspeur avaient raison! a-t-il grommelé entre ses dents.

— Je vais m'occuper du cheval du Chevalier de la Nuit, a crié Sébastien avant de le siffler.

Le cheval s'est avancé calmement vers la rive et l'a laissé prendre les rênes.

— Je vais le ramener à l'écurie. Pouvez-vous surveiller Guenièvre? a-t-il ajouté en passant devant nous.

Pradeep a hoché la tête tandis que je regardais partout pour trouver Frankie, dans l'eau, sur la rive, le pont-levis, partout, pour tenter de voir une petite tache orange.

— Il doit être dans la douve, ai-je dit avec espoir.

— À moins qu'il soit tombé de la visière pendant que le Chevalier de la Nuit se dirigeait ici, a suggéré Pradeep. Dans ce cas, il pourrait être n'importe où.

Nous avons alors entendu des pas légers derrière nous sur le pont-levis.

— Froufrou poissonnet endormi, nous a interrompu Sami. Regardez!

À l'intérieur de son chapeau pointu de princesse se trouvait Frankie, qui flottait dans un peu d'eau boueuse.

— Où l'as-tu trouvé, Sami? lui ai-je demandé

— Froufrou poissonnet plouf dans une flaque… mais après, s'est endormi, a-t-elle poursuivi en baissant les yeux.

— Il faut lui donner à manger, a indiqué Pradeep.

Au même moment, Guenièvre m'a poussé l'épaule du museau. Elle avait un sac de papier entre les dents, dans lequel se trouvaient les morceaux de sucre. J'ai laissé tomber deux morceaux verts dans l'eau du chapeau de Sami, et Frankie est revenu à la vie immédiatement.

— Dieu merci! ai-je lancé en poussant un soupir de soulagement.

Soudain, Pradeep m'a donné un coup de coude… On voyait le haut d'un autre chapeau pointu caché derrière un mur bas non loin de l'endroit où nous nous trouvions.

— Sanj et Mark, a-t-il murmuré.

Nous nous sommes approchés doucement.

— Alors, tu n'as pas pensé à rendre le mégarobot étanche à l'eau ? criait Mark.

— Je te vois pas souvent arriver avec des innovations technologiques bien époustouflantes… alors tu peux fermer la glissière, a rétorqué Sanj en criant lui aussi.

— Exactement ! Un énorme sac à glissière ! Ç'aurait été trop difficile de penser à faire un sac à glissière géant pour enfermer les trucs électriques à l'intérieur de l'armure ? a crié Mark. Moi, je voulais vraiment conquérir le monde avec une armée de chevaliers robots, aussi. Mec ! Ça craint !

CHAPITRE 18

LE CHEVALIER DU TOURNOI

— Attends un peu, a dit Sanj, interrompant le discours fulminant de Mark. La caméra ! Tu as tout filmé. Nous avons une preuve des pouvoirs du Chevalier de la Nuit, et nous avons les plans. Nous pouvons le reconstruire. Où est la caméra ?

Nous étions désormais rendus juste à côté du mur.

— Euuuh… a commencé Mark. J'ai fait la vidéo de la joute finale… et lorsque le robot s'est mis à fumer et que le cheval s'est enfui, j'ai mis la caméra sur mon siège sous mon chapeau et j'ai couru jusqu'ici.

— Moi, j'ai caméra ! a claironné Sami en levant la tête par-dessus le mur.

Elle a souri et l'a sortie d'une poche de son costume de princesse.

Sanj et Mark se sont retournés et ont levé les yeux vers nous, surpris.

— Non, Sami! s'est écrié Pradeep. Ils en ont besoin pour gagner le concours de robot diabolique du magazine *Le scientifique diabolique* !

— Trop tard, a dit Sanj en sautant sur ses pieds et en arrachant la caméra des mains de Sami.

— Ouais, tant pis, les crétins! a lancé Mark en riant de son rire diabolique.

Sanj a appuyé sur la touche « lecture ». Puis, il s'est figé sur place.

— Qu'est-ce que c'est que ça? a-t-il demandé.

Il tendu dans les airs l'écran de la caméra, qui affichait une vidéo de Sami en train de se battre contre des dragons imaginaires avec son hennin pointu de princesse.

— Où est l'enregistrement du Chevalier de la Nuit?

— C'était là-dedans! a répondu Mark. J'avais le tir à l'arc, et le lever du rocher, et tout. Elle a dû enregistrer par-dessus.

— Moi, fait des films, yééééeee! s'est exclamée Sami en rigolant.

— Au moins, nous avons les plans, a grommelé Sanj.

— À propos de ces plans, l'a interrompu Sébastien en s'approchant de nous, Guenièvre à son côté. Je les ai trouvés dans l'armure que les garçons ont utilisée pour la joute.

— Attendez, c'était vous, dans la joute, tout à l'heure? a demandé Mark, le regard vide.

— Frankie aussi, a indiqué Pradeep alors que Frankie sautait hors du chapeau de Sami pour arroser Mark au visage.

— Beuargh! a postillonné Mark.

— J'ai remis les plans aux juges de la compétition, a poursuivi Sébastien. Ils aimeraient vraiment vous parler au sujet de votre robot.

— Pas question! a refusé Sanj en tapant du pied.

— Ah, les voilà, a remarqué Sébastien en souriant, faisant signe à deux juges costauds qui s'avançaient vers nous.

— Ne songez même pas à vous sauver en courant, monsieur le Sorcier et sire Machin-Chose, les a avertis le premier juge.

— Allons retrouver vos parents pour discuter un peu avec eux, vous ne voulez pas? a renchéri le second.

Ils ont emmené Mark et Sanj, qui se chamaillaient toujours.

On a ensuite vu madame Kumar qui se hâtait en direction des juges. Elle a fait un signe de la main à Pradeep et a crié :

— Pradeep, mon chéri, tu veux bien surveiller Sami? Ton frère s'est encore une fois mis dans le pétrin.

Fou Duroi est venu nous rejoindre.

— Le Chevalier de la Nuit a été disqualifié. Par conséquent, l'honneur de Chevalier du Tournoi vous revient, a-t-il annoncé à Sébastien.

Il a plissé les yeux en nous regardant, Pradeep et moi, et Sami.

— À toi et à ton… hum… escuyer? a-t-il ajouté d'un ton hésitant.

Sébastien a chuchoté quelque chose à l'oreille du fou.

— Voilà une excellente suggestion, a répondu Fou Duroi en hochant la tête. Pressons-nous de la réaliser!

Comme nous revenions vers la cour du château, nous sommes tombés sur madame Richard. Elle n'avait pas du tout son air d'historienne joyeuse.

Sébastien a fait un pas vers elle, lui a pris la main et y a déposé un baiser.

— Gente dame, merci infiniment d'avoir laissé vos élèves m'aider… euh… à soigner ma jument, Guenièvre, pendant ce tournoi des plus étrange. Puis-je vous les enlever encore quelques instants? Je suis certain qu'ils auront bien des choses à raconter à leur classe lorsqu'ils reviendront à l'école.

Le visage de madame Richard est passé au rouge.

— J'imagine que oui. Du moment que c'est pertinent, sur le plan historique.

Elle est partie en coup de vent pour aller compter le reste des paysans.

— Bon, alors, a commencé Sébastien en se tournant vers nous. Mettons la machine en marche.

Comme nous entrions dans la cour, la foule s'est mise à pousser des acclamations et à applaudir, et les trompettes, à résonner; mais cette fois, nous n'étions ni assis sur un mur ni enfermés dans une tour. Nous étions assis sur le dos d'un grand cheval majestueux, Sami, Pradeep et moi, avec Frankie, qui nageait en rond dans le heaume de Sébastien, rempli d'eau. Sébastien dirigeait Guenièvre et elle levait les genoux fièrement devant la foule.

Madame Kumar nous envoyait la main depuis les gradins, tandis que Sanj et Mark, qui portaient désormais des habits de prisonniers médiévaux, se tenaient à côté d'elle, l'air renfrognés.

Nous étions si excités que nous avons presque manqué de voir la boule de poils et de griffes qui s'élançait dans les airs, directement sur Frankie!

— Fang! avons-nous crié en chœur, Sami, Pradeep et moi.

Mais nous n'avions pas à nous inquiéter. D'un coup de sa longue queue, Guenièvre a fait dévier Fang de sa trajectoire et l'a projetée dans un baril d'eau qui se trouvait à côté des prisonniers médiévaux.

Mark l'a sortie de là et l'a essuyée sur sa vareuse de prisonnier.

— C'est le comble! l'ai-je vu grommeler.

— Raaaaouuuuuu, a feulé son minou détrempé.

Lorsque nous sommes arrivés à l'avant de la cour, Fou Duroi a agité ses grelots pour demander le silence.

— L'honneur de Chevalier du Tournoi est accordé à sire Chevalier de Sanspeur et à son escuyer Pra-tom, qui, hélas ne peut pas se joindre à nous pour des raisons que l'on ne comprend pas entièrement, a-t-il crié. À la place de Pra-tom, nous avons avec nous les trois assistants-escuyers du Chevalier de Sanspeur, avec leur mascotte, euh…

Il a jeté un coup d'œil dans le heaume.

— Le poisson rouge !

— Qu'est-ce que nous allons avoir ? ai-je demandé à Sébastien en chuchotant. Une médaille ?

— Un trophée ? a renchéri Pradeep.

— Vous verrez, a répondu Sébastien en souriant.

Fou Duroi a tendu la main vers un coffret à bijoux devant lui et en a tiré… une fleur ! Chacun de nous en a eu une de couleur différente. Apparemment, c'était la coutume lors de tournois médiévaux.

Sami avait l'air plutôt enchantée de recevoir la sienne.

— Nos mères vont les aimer aussi, j'imagine, ai-je grommelé à Pradeep. Mais que va faire Frankie avec la sienne ?

— Je ne crois pas que nous devons nous inquiéter de ça, a déclaré Pradeep tandis que Frankie essuyait les derniers pétales de rose verte de sa bouche en laissant échapper un rot de satisfaction. Je crois qu'il aime beaucoup ce genre de récompense.

CARPE JURASSIQUE

CHAPITRE 1

L'HISTOIRE DE DEUX POISSONS

Nous étions assis dans la salle bondée et nous attendions.

— Combien de temps dure cette conférence? ai-je murmuré à mon meilleur ami, Pradeep.

— Ne me dis pas que tu t'ennuies déjà! m'a-t-il répondu en chuchotant. Ça n'a même pas encore commencé.

Une femme qui portait un sarrau blanc de scientifique est montée sur la scène devant l'auditoire. La foule qui se trouvait dans l'auditorium de l'école s'est mise à applaudir, et la femme a fait ce truc bizarre que font les personnes qu'on applaudit, c'est-à-dire,

faire merci à répétition, en remuant seulement les lèvres et en s'inclinant, alors qu'il y a un micro, et qu'elles pourraient tout aussi bien remercier à voix haute.

— Est-ce que c'est quelqu'un d'important ? ai-je chuchoté un peu plus fort.

Pradeep a continué d'applaudir pendant qu'il me répondait.

— C'est la professeure Lorna McSinistre. Une éminente archéologue et paléontologue.

— Est-ce que c'est une personne importante ? ai-je demandé de nouveau.

— En fait, tu veux dire : «A-t-elle joué dans un film que j'ai vu ? Un jeu vidéo auquel je joue ? Ou a-t-elle inventé une chose sans laquelle je ne pourrais pas vivre, comme les bâtonnets au fromage ? » a répondu Pradeep en chuchotant.

— Oui, ai-je répondu. Est-ce qu'elle a inventé les bâtonnets au fromage ?

— Non, a répondu Pradeep, mais elle est vraiment, vraiment importante dans le monde de la fouille archéologique pour trouver des os de dinosaures.

Ça, pour Pradeep, c'était l'équivalent de dire qu'elle était en tête du championnat de foot pour la plupart des autres enfants.

— Pigé, ai-je répondu. Je vais me taire.

Au même moment, la scientifique s'est mise à parler dans le microphone.

— Merci beaucoup de votre accueil si enthousiaste à l'école primaire Parkside ! a-t-elle prononcé en cadence avec un accent écossais bien senti.

Les applaudissements se sont calmés et elle a poursuivi.

— C'est un plaisir d'être ici avec vous pour partager cette nouvelle découverte qui, je crois, est vraiment…

Elle a fait une petite pause.

— ÉPIQUE!

Le mot est sorti avant même que Pradeep puisse s'en empêcher. Il a mis ses deux mains sur sa bouche une petite seconde trop tard et son visage a viré au rouge alors que tout l'auditoire s'est tourné vers lui pour tenter de voir qui avait parlé.

— Mwah haa, hi, hi, hi! a ri la professeure McSinistre. Je vais te prendre au mot, jeune homme. Épique, a-t-elle répété en souriant à Pradeep.

Pradeep a libéré sa bouche et s'est remis à respirer.

— Tu as entendu son rire? ai-je demandé à mon ami en chuchotant.

— Comme j'étais concentré à essayer de m'enfoncer dans le plancher pour disparaître, a-t-il rétorqué, la réponse est non.

— C'est juste que... son rire semblait, comme, dia...

— Maintenant, m'a interrompu la professeure McSinistre. J'ai des diapos à vous montrer qui documentent l'excavation du site, ici même, sur le terrain de cette école.

Elle a plissé les yeux et a balayé l'auditoire pour trouver le concierge, qui était à l'arrière de la salle.

— Pourriez-vous éteindre les lumières, s'il vous plaît?

Le concierge de l'école, qui est probablement l'homme le plus lent du monde (des escargots avec un déambulateur pourraient aller plus vite que lui), s'est dirigé vers les interrupteurs. Graduellement, la salle est devenue obscure.

— C'est quand vous voudrez, merci, a lancé madame McSinistre en tambourinant sur le lutrin.

Les gens dans la salle ont soupiré d'impatience.

Enfin, toutes les lumières se sont éteintes.

— Excusez-moi... il y a encore une lumière verte allumée dans l'auditoire. Pourriez-vous l'éteindre, s'il vous plaît? a demandé la professeure McSinistre.

C'est à ce moment-là seulement que j'ai pris conscience que Frankie, mon zombie de poisson rouge, qui était dissimulé dans une bouteille d'eau posée sur mes genoux, avait ouvert le couvercle pour pouvoir regarder le diaporama. Ses yeux brillaient de leur vert vif de zombie.

J'ai jeté ma veste sur la bouteille pour cacher la lueur.

— Merci, a poursuivi la professeure. Commençons, donc.

Alors qu'elle montrait les premières diapositives, Pradeep m'a jeté un regard qui semblait vouloir dire : « Honnêtement, Tom, pourquoi as-tu acheté à Frankie une paire de faux cils ? »

Je lui ai répondu d'un regard qui disait : « Une paire de quoi ? »

J'ai plissé les yeux dans le noir pour voir Pradeep me jeter son regard « regarde bien », suivi d'un autre qui disait : « Pourquoi as-tu donné à Frankie autant d'ustensiles ? »

— Désolé, quoi ? ai-je demandé en chuchotant.

— J'ai dit : « Pourquoi as-tu amené Frankie à une conférence sur les fossiles ? » a répondu Pradeep en chuchotant lui aussi.

— Oh, ai-je dit tout haut. Maintenant, je comprends.

— Chuuuut! a fait la personne derrière nous.

— J'ai bien fait de le prendre avec nous, ai-je chuchoté, parce que Frankie sent de toute évidence qu'il y a quelque chose qui cloche. Ses yeux virent au vert seulement lorsqu'il perçoit du danger.

— Il a probablement juste vu le sarrau blanc et a pensé à Mark, a répondu Pradeep à voix basse.

J'étais sur le point de répondre lorsque je me suis rendu compte que Pradeep avait probablement raison. Frankie déteste mon grand frère scientifique diabolique, Mark, depuis que ce dernier l'a plongé dans une fange toxique et qu'il a essayé de le faire passer dans les égouts en tirant la chasse de la toilette... C'était donc logique qu'il devienne vert de colère en voyant un sarrau blanc. Ou à tout le moins, que ses yeux deviennent verts.

J'ai baissé les yeux et j'ai vu que pendant que nous parlions, Frankie avait grignoté un trou dans ma veste pour pouvoir voir ce qui se passait. M'man allait me tuer.

Elle était déjà plutôt fâchée qu'il y ait des taches de nourriture verte sur presque tous mes vêtements à cause des collations vertes que je récupérais dans les poubelles pour Frankie. Il a un faible pour la nourriture verte, et plus elle est dégueu et visqueuse, et plus il aime ça.

Les yeux de Frankie avaient cessé de luire, mais il continuait tout de même à s'intéresser à madame McSinistre. La diapositive qu'elle montrait à l'écran était celle d'un grand squelette, de la taille d'une petite voiture, environ, et que l'on avait trouvé sous le terrain de stationnement de l'école lors de l'excavation en vue de la construction d'une nouvelle aile de sciences. C'était incontestablement le squelette d'un poisson. Il avait l'air plutôt... comment dire... préhistorique, avec des dents acérées et d'énormes orbites oculaires.

— Avec la modélisation par ordinateur et mes connaissances des poissons de cette ère, poursuivait la professeure McSinistre, la prochaine diapositive montre l'aspect que, selon nous, pouvait avoir ce poisson préhistorique, que nous croyons être de la période jurassique.

Lorsque l'image est apparue, le silence s'est fait dans la salle.

C'est-à-dire, mis à part Pradeep et moi.

— Frankie? avons-nous bredouillé tous les deux.

CHAPITRE 2
UN PASSÉ TRÈS SUSPECT

L'image montrait une version géante et préhistorique de Frankie, mais avec un air, disons, plutôt abruti.

Frankie a regardé Pradeep et ensuite, moi. Puis, il a imité l'air du poisson préhistorique abruti.

— Argh! ai-je fait.

Pradeep a rapidement jeté son manteau sur ma veste trouée pour cacher Frankie.

— Ah ha! a-t-il lancé en donnant un coup de poing dans les airs pour couvrir mon cri à moi. Ça aussi, c'est vraiment ÉPIQUE!

La professeure McSinistre a souri.

— C'est ce que je pense également, a-t-elle affirmé.

— Je vais faire sortir Frankie avant qu'il cause une commotion, ai-je annoncé à Pradeep en chuchotant.

Je me suis levé et me suis dirigé vers l'arrière de la salle pendant que madame McSinistre continuait à parler.

— Il s'agit, bien entendu, d'une image générée par ordinateur. Mais si c'était en notre pouvoir d'en faire un vrai poisson?

J'ai vu Pradeep se redresser sur son siège pour écouter attentivement.

— En plus des os et de la pierre que nous avons trouvée avec le spécimen, nous avons également relevé des traces d'ADN. Si le séquençage et l'épissage de cet ADN étaient effectués correctement sur une espèce hôte, il serait possible de le cloner pour recréer ce majestueux animal qui nageait au large de nos côtes il y a quelque 150 millions d'années. L'être vivant actuel le plus près de ce spécimen de poisson préhistorique est la carpe commune ou le poisson rouge moderne. Imaginez les possibilités, si nous pouvions ramener à la vie un animal oublié par le temps?

L'auditoire s'est mis à murmurer. Je crois que les gens n'aimaient pas trop l'idée de ramener à la vie le poisson géant, pas plus que Frankie, d'ailleurs. Il s'agitait comme un fou sous les manteaux, essayant de sortir de sa bouteille.

— Mais, bien entendu, je parle seulement de manière hypothétique! a ajouté madame McSinistre.

Pradeep était venu me rejoindre à l'arrière de la salle. Avant même que j'aie eu le temps de demander ce que ça signifiait, il a dit qu'elle demandait simplement : «Et si?» et non qu'elle essaierait vraiment de le faire.

— Ouais, ai-je dit en hochant la tête. Je le savais.

Mais Frankie avait réussi à grignoter aussi le manteau de Pradeep, et il semblait prêt à sauter hors de la bouteille et à se jeter sur le projecteur.

— Nous ferions mieux de sortir d'ici, ai-je chuchoté à Pradeep.

— Je veux juste entendre la fin, m'a-t-il répondu.

— En conclusion, je crois que nous devrions ouvrir des portes dans le domaine des sciences, et non les fermer, a conclu la professeure McSinistre en montrant la nouvelle image du projecteur. Même si c'est ça qui se trouve derrière l'une des portes.

Elle a ri encore une fois de sa propre plaisanterie, mais cette fois, son rire était un «Mwhaaa haaa haaa haaa!» bien complet dont mon grand frère scientifique diabolique Mark aurait été très fier.

Pradeep et moi sommes sortis de l'auditorium pendant que tout le monde applaudissait. Juste comme

nous atteignions la sortie, nous nous sommes retournés et avons vu Mark s'approcher de la scène. Que faisait-il ici, à notre école? Un samedi, par-dessus le marché?

Je suis assez bon pour lire sur les lèvres, mais à cette distance, tout ce que j'ai pu comprendre a été : «Je crois que nous partageons les mêmes idées à propos de la science. Je crois savoir où vous pouvez trouver le parfait…» Puis, Mark s'est tourné et je n'ai pas pu voir ce qu'il continuait à dire.

Pradeep et moi avons été poussés hors de la salle par le mouvement de la foule.

— Mark m'a semblé avoir assez envie de parler à madame McSinistre, ai-je remarqué.

— Ouaip, a admis Pradeep.

— Son rire était sans aucun doute plutôt diabolique, ai-je ajouté.

— Mais nous n'avons aucune preuve qu'elle est en réalité une scientifique diabolique. Même si elle parle à Mark. C'est une paléontologue de renommée mondiale. Nous ne pouvons pas simplement l'accuser d'être diabolique juste parce que son rire est diabolique, l'a défendue Pradeep.

— Elle a aussi un nom diabolique, ai-je souligné.

Frankie a sorti la tête à travers les trous dans les deux vestes et il l'a hochée.

— Bon, j'admets, McSinistre, ça fait un peu diabolique, a concédé Pradeep.

— Il y a aussi le fait qu'elle ait dit à tout le monde qu'elle veut cloner une version de monstre géant d'un Frankie préhistorique, ai-je ajouté.

Frankie a commencé à s'agiter quand j'ai dit ça, alors je l'ai repoussé dans la bouteille et j'ai enroulé les vestes autour.

— Il faut que nous laissions Frankie se calmer, ai-je repris.

— Nous avons un peu de temps avant d'aller rejoindre m'man et Sami à la piscine de l'école pour le cours de natation de Sami, a indiqué Pradeep en regardant sa montre. Peut-être que nous pourrions arriver à la piscine un peu plus tôt et laisser Frankie se dégourdir les nageoires?

— Est-ce que tu aimerais ça, Frankie ? ai-je chuchoté à travers les manteaux.

Le tissu s'est mis à bouger de haut en bas.

— Je crois que ça veut dire oui, a fait remarquer Pradeep.

— En plus, le vieux sauveteur qui travaille les samedis ne porte jamais ses lunettes, ai-je ajouté. Il pense que Frankie est un jouet de piscine. Parfait !

Nous sommes sortis de la salle et nous nous sommes dirigés vers la piscine. Nos sacs de natation étaient dans l'armoire réservée à notre classe dans le vestiaire. Nous avons vite fait de nous retrouver dans l'eau, et nous étions les seuls dans la place, mis à part le sauveteur myope.

Frankie s'amusait comme un fou.

Il adore faire des longueurs à la vitesse de zombie et jouer aux Dents de la mer, alors que Pradeep ou moi nous couchons sur le dos sur un matelas pneumatique et qu'il arrive d'en dessous en nageant pour nous renverser. Il s'amusait tellement que nous l'avons laissé dans l'eau pendant que nous sommes allés nous changer.

Mais lorsque nous sommes venus pour le remettre dans sa bouteille d'eau, il avait disparu!

CHAPITRE 3

ENLÈVEMENT DE POISSON!

Nous avons regardé partout! Dans la pile de planches de natation, dans les cordages enroulés qui séparent les couloirs, et même dans le bac d'objets perdus rempli de lunettes de natation et de palmes! Pas de Frankie!

— Excusez-moi, a dit Pradeep en secouant le sauveteur, qui faisait un petit somme dans sa chaise pendant qu'il n'y avait personne dans la piscine. Euh… nous avons perdu notre jouet de piscine orange… Avez-vous vu quelqu'un entrer ici après que nous sommes sortis?

— Qu… quoi? a demandé le sauveteur, qui a sursauté en émettant un petit ronflement. La piscine n'est pas responsable des objets perdus…

— Non ! l'ai-je interrompu. Ce n'est pas ça... nous voulons juste savoir si vous avez vu quelqu'un d'autre ici.

Le sauveteur a froncé les sourcils.

— Il est venu un garçon, plus grand que vous. Avec un sarrau blanc. Il a dit qu'il était du service d'entretien de la piscine.

— Mark ! avons-nous dit ensemble, Pradeep et moi.

— Il avait un truc aspirant, qu'il a utilisé pour nettoyer la piscine...

Le sauveteur s'est arrêté un instant.

— Sauf que quelque chose s'est pris dedans presque tout de suite et qu'il est parti réparer l'aspirateur.

Il s'est gratté la tête.

— Vous pourriez aller vérifier au service d'entretien pour voir s'ils ont trouvé votre jouet.

— Il n'y a pas de service d'entretien de la piscine!
me suis-je écrié.

Puis, je me suis retourné vers Pradeep.

— Il n'y a pas de service d'entretien de piscine à
notre école, n'est-ce pas?

— C'est juste le concierge, qui ramasse les
insectes morts dans la piscine avec une épuisette au
bout d'un bâton, a-t-il répondu.

— Ça veut donc dire que Mark a enlevé Frankie!
ai-je annoncé.

Le sauveteur avait l'air plutôt perdu.

— C'est le nom que nous donnons à notre jouet, a
expliqué Pradeep.

— Je crois savoir où il faut commencer à regarder,
ai-je ajouté. Si nous trouvons la professeure McSinistre,
nous allons trouver Mark et Frankie!

— Bon, les enfants, j'espère que vous allez trouver votre jouet… mais ça vous dérangerait beaucoup
de déguerpir pour que je puisse faire un somme avant
que ces petits monstres arrivent pour leur cours
de natation?

Le sauveteur nous a fait signe de la main de partir, puis il a fermé les yeux.

Nous sommes allés directement au labo de sciences. Tous les bâtiments de l'école étaient ouverts en raison de la conférence de la professeure et de l'excavation qui avait toujours lieu dans le terrain de stationnement de l'école.

Nous avons longé le couloir en mode furtif, les yeux aux aguets pour trouver Mark ou madame McSinistre. En approchant du labo, nous avons vu que la porte était entre-ouverte et les lumières, allumées. Mais nous n'entendions aucun bruit, sauf un son ressemblant à un filtre et à de l'eau qui dégouttait.

Pradeep s'est posté d'un côté de la porte, et moi, de l'autre. J'ai levé la main et j'ai fait un décompte silencieux avec les doigts jusqu'à ce que mon poing soit fermé.

— Est-ce que le poing équivaut à zéro ? m'a chuchoté Pradeep. Est-ce que ça veut dire « *go* » ?

— Oui, ça veut dire, *go*, ai-je répondu en chuchotant aussi. Le poing veut toujours dire « zéro ».

— D'accord, a fait Pradeep en hochant la tête. Alors, nous y allons maintenant?

J'ai poussé un soupir.

— S'ils sont là-dedans, ils nous ont déjà entendus, alors entrons de toute manière.

En prenant une grande inspiration, j'ai poussé la porte du labo et nous sommes entrés. La salle était vide.

— Quelqu'un est venu ici récemment, a remarqué Pradeep en entrant précipitamment dans la salle derrière moi.

Il y avait beaucoup d'instruments scientifiques étranges, et des ordinateurs qui n'y étaient pas lors de notre cours de science de la veille, en plus de produits dans des éprouvettes et de bocaux de spécimens partout sur les tables.

Puis, nous avons aperçu les aquariums.

Il y en avait deux, côte à côte. Dans l'un, l'eau était trouble et sale, et il semblait y avoir un petit éclat doré qui se déplaçait à l'intérieur, mais l'eau du deuxième aquarium avait l'air glacée et nuageuse, et semblait se craqueler, et... notre zombie de poisson rouge manquant à l'appel se trouvait emprisonné à l'intérieur!

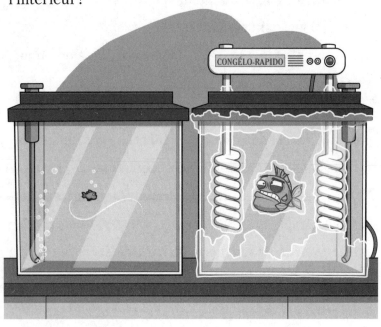

J'ai cogné le verre du doigt. Il était glacé.

— Frankie? me suis-je écrié. C'est nous! Est-ce que ça va? Nous sommes venus à ton secours.

Frankie ne bougeait pas.

Pradeep a touché l'aquarium lui aussi. Puis, il a montré plusieurs tubes qui se trouvaient dans l'aquarium avec Frankie.

— Ce n'est pas un aquarium, a-t-il déclaré. C'est un congélateur. Ils ont congelé Frankie, mais pourquoi ?

— Peu importe ! ai-je lancé. Il faut que nous le sortions de là !

J'ai réussi à trouver un truc qui avait l'air d'un pic en métal et j'ai commencé à enlever des éclats de glace autour de Frankie. Heureusement, la glace semblait être en train de fondre, alors elle se détachait sans trop de difficulté. Puis, j'ai pris Frankie, toujours enfermé dans un glaçon de la taille d'un ballon de foot, et je l'ai déposé dans un bol en verre que Pradeep avait trouvé.

Bon, je sais que, pour un poisson rouge ordinaire, ç'aurait été la fin de la fin. Mais Frankie a survécu des tas de fois lorsque Mark a essayé d'en faire une sucette glacée au parfum de poisson dans notre congélateur.

— Si nous réussissons à faire fondre la glace, il va être tiré d'affaire, n'est-ce pas ? ai-je demandé à Pradeep.

— Je ne sais pas ce qu'ils lui ont fait, Tom, a répondu Pradeep en secouant la tête. Mais nous devons essayer.

— Mwaaaah haaa haaa haaa haaa ! avons-nous entendu à l'extérieur de la pièce, mais ce rire était en stéréo. À la fin, nous avons aussi entendu un tout petit «Miahouhouhou !» diabolique.

— Ce sont sûrement Mark et madame McSinistre ! ai-je dit à Pradeep en chuchotant.

— On dirait bien que Mark a aussi amené son chaton diabolique ! a-t-il répondu en marmonnant. Qu'allons-nous faire ?

CHAPITRE 4
PRISONNIER PRÉHISTORIQUE

Pradeep et moi venions tout juste de réussir à nous cacher derrière la porte ouverte du laboratoire lorsque Mark et la professeure McSinistre sont entrés. Nous pouvions voir Fang, le chaton diabolique de Mark, qui avait les yeux levés sur madame McSinistre depuis la poche du sarrau blanc de scientifique diabolique de Mark.

— Vraiment, Mark, ça s'est aussi bien passé que je l'espérais, disait la professeure McSinistre. Jamais je n'aurais imaginé que tu pouvais avoir un spécimen hôte idéal comme celui-ci sous la main.

— Je suppose que nous pouvons maintenant nous débarrasser du machin poisson-hôte? a répondu Mark. Fang et moi, nous sommes venus nous en occuper pour vous, a-t-il ajouté en poussant un autre rire diabolique.

— Och non! l'a interrompu la professeure. Pas encore, j'en ai bien peur. Nous avons besoin de garder le poisson-hôte au cas où le clonage ne fonctionnerait pas du premier coup. Ça peut être plutôt délicat, comme opération.

Ils ont dû regarder du côté des aquariums, parce que j'ai alors entendu Mark donner un coup de poing colérique sur l'un des bureaux.

— Le crétin de poisson a disparu! Je savais que j'aurais dû le donner en pâture à Fang tandis que j'en avais la chance.

— C'est décevant, j'en conviens, mais je crois que ta réaction est excessive, si tu veux mon avis, a souligné la professeure McSinistre.

Par la fente entre la porte et le cadre, nous avons pu voir Fang qui a sauté hors de la poche de Mark et s'est mise à lécher les petites gouttes d'eau que nous avons faites sur le sol en sortant Frankie de l'aquarium-congélateur.

Pradeep m'a jeté un regard qui disait : « Si Fang suit les gouttes… ça va la mener directement à nous. » J'ai croisé les doigts et les orteils, et même les yeux dans l'espoir que Fang ne nous trouve pas. Mais le chaton continuait à laper l'eau, se rapprochant de plus en plus de notre cachette.

— Je dois dire, avons-nous entendu dire la professeure McSinistre, que la présence d'un chaton dans l'environnement stérile d'un laboratoire n'est pas du tout une pratique exemplaire, jeune homme. Plus particulièrement lorsque les cobayes sont des poissons. Peux-tu t'assurer qu'elle reste dans ta poche et qu'elle ne contamine aucune des surfaces ?

Mark a grommelé et il a cueilli Fang juste au moment où elle atteignait la petite flaque qui dégouttait du bol où se trouvait Frankie et qui se répandait lentement sous la porte.

« Ouf ! » avons-nous dit du regard, Pradeep et moi.

Puis, la professeure McSinistre a poussé un petit cri de joie.

— Regarde ! Quelque chose a bougé dans l'aquarium de clonage. Ça bouge, là-dedans !

— Hé, RÉUSSI ! a crié Mark, et nous l'avons entendu tapoter l'aquarium.

J'ai regardé discrètement par la fente. J'ai vu quelque chose s'approcher en nageant de la paroi de l'aquarium à l'eau trouble. Ça ressemblait à un petit alevin doré.

J'ai jeté à Pradeep un regard qui signifiait : «Ce dino-poisson a plus que doublé de taille depuis que nous sommes arrivés ici. C'était un petit éclat doré, et maintenant, c'est un bébé poisson!»

— Ça ne ressemble pas beaucoup au poisson de l'image, a remarqué Mark.

— Il vient juste de commencer sa vie! s'est exta-siée madame McSinistre. Nous n'avons aucune idée de la taille qu'il va atteindre. Il grandit déjà à une vitesse sans précédent. Nous allons devoir l'observer de près et pratiquer d'autres essais.

Elle semblait sautiller d'excitation.

— Je vais avoir besoin de mes instruments d'éta-lonnage qui sont dans la camionnette. Tu serais vrai-ment adorable de venir m'aider à les monter ici… a demandé la professeure McSinistre à Mark. Nous avons beaucoup de travail!

Pradeep et moi, nous nous sommes aplatis contre le mur tandis qu'elle sortait du labo en courant, lais-sant Mark seul.

Nous l'avons encore une fois entendu taper sur la paroi de l'aquarium.

— Écoute bien, petit dino-poisson. Si mon excellent plan diabolique a fonctionné, la professeure McStupide n'aura aucune idée que tu es non seulement un poisson-monstre préhistorique, mais plutôt un zombie de poisson-monstre préhistorique. Tu seras mon nouvel animal de compagnie diabolique et tu vas avaler ce détestable petit zombie de poisson rouge qui appartient à mon crétin de petit frère... et après... eh bien, tu vas zombifier qui je veux, pour que je puisse faire tout ce que je veux ! Pigé ?

Au même moment, Fang a poussé un féroce feulement et a sauté hors de la poche de Mark, griffant les parois de l'aquarium avant de sortir de la pièce en bondissant pour aller descendre l'escalier.

— Oooooh, on est sensible ! a dit Mark en faisant un sourire narquois alors qu'il sortait de la pièce pour suivre son chaton.

CHAPITRE 5
FUITE EXPÉRIMENTALE

Pradeep et moi avons attendu trois bonnes minutes pour nous assurer que la voie était libre, puis nous sommes sortis de derrière la porte.

Frankie était presque complètement décongelé et commençait à bouger par petites secousses.

— Regarde, il bouge! me suis-je écrié.

— Vite, réchauffe-le ici, a dit Pradeep en se dirigeant vers le bec Bunsen.

La chaleur a vite fait de transformer le bloc de glace de Frankie en eau.

Frankie a secoué les derniers cristaux de glace de ses nageoires et il nous a fait un tope-là lorsque nous l'avons remis dans sa bouteille d'eau.

— Ouf! Bien content de te retrouver comme avant, mon vieux Frankie, ai-je dit.

— L'expérience ne semble pas lui avoir causé de dommages permanents, a ajouté Pradeep.

Il a déposé la bouteille contenant Frankie à côté de l'aquarium à l'eau trouble pendant que j'éteignais le bec Bunsen.

— Regarde, a indiqué Pradeep en m'agrippant le bras. Je crois qu'il a encore grossi.

Là, dans l'aquarium, à tra-vers l'eau trouble, nous avons vu les yeux du dino-poisson... et il était de la même taille que Frankie!

— Partons d'ici! ai-je lancé.

Nous avons attrapé Frankie et sommes sortis dans le couloir.

— Prenons l'escalier de secours. Allez, viens!

— Ils ont utilisé Frankie pour cloner le dino-poisson! a sifflé Pradeep tandis que nous dévalions l'escalier.

— Il faut que nous avertissions quelqu'un! ai-je répondu dans un hoquet. Ce poisson pourrait être dangereux. Il pourrait avoir des pouvoirs de zombie, comme Frankie… mais même sans ça… ai-je ajouté en déglutissant, tu te rappelles la taille qu'il va atteindre, comme nous l'avons vu sur la diapo?

— Allez, viens, a soufflé Pradeep. La directrice et le concierge sont probablement encore dans l'école. Nous allons les emmener au labo de sciences et leur montrer ce que Mark et la professeure McSinistre ont fait!

Nous avons fini par trouver madame Prentice, la directrice, dans l'auditorium, de même que le concierge ultra-lent de l'école. Je crois qu'une version de lui en pâte à modeler animée bougerait plus vite.

— Allez, venez! avons-nous répété plusieurs fois. La professeure McSinistre est en train de faire des expériences vraiment dangereuses dans le labo de sciences de l'école.

— Je suis certaine qu'il y a une bonne explication à tout ça, a déclaré madame Prentice en nous suivant dans l'escalier.

Nous devions nous arrêter toutes les trois marches pour attendre le concierge.

— La seule explication valable, a poursuivi Pradeep, c'est que madame McSinistre se sert d'une méthode non conventionnelle et hautement controversée d'utilisation d'échantillon génétique hôte épissé d'ADN préhistorique prélevé sur un fossile pour créer un clone de carpe jurassique!

La directrice a fixé Pradeep.

— Vous regardez trop de films de science-fiction, Monsieur Kumar.

Pradeep a secoué la tête de frustration.

— Je crois que ce qu'il essaie de dire, Madame Prentice, suis-je intervenu, c'est qu'il n'y a jamais trop de films de science-fiction pour Pradeep.

Pradeep a hoché la tête.

— J'espère juste que vous n'êtes pas en train de nous faire perdre notre temps, les garçons, a-t-elle ajouté d'un air sévère.

Nous avons parcouru le couloir menant au laboratoire en courant, et nous leur avons fait signe d'entrer dans la salle.

— Regardez! ai-je crié.

Mais il était trop tard. La professeure McSinistre n'était pas là. Mark n'était pas là. Mais, plus important encore, le dino-poisson cloné n'était plus là non plus. Tout l'équipement de madame McSinistre avait disparu et le laboratoire était dans un état lamentable. L'aquarium dans lequel le dino-poisson se trouvait quelques minutes auparavant était en morceaux et il y avait des éclats de verre et de l'eau partout sur le plancher.

— Oh, mon Dieu! a crié madame Prentice en passant la porte. Regardez-moi ça!

— Mais ils étaient ici, et le poisson était dans cet aquarium. Il grossissait, et… et… bégayait Pradeep.

— Ils ont dû le déplacer, l'ai-je interrompu.

— Vous savez ce que je pense? a craché madame Prentice d'un ton glacial. Je crois, les garçons, que vous avez mijoté cette histoire ridicule pour couvrir le fait que vous êtes venus jouer ici et que vous avez brisé cet aquarium. Détruit la propriété de l'école, menti, et nous avez fait perdre notre temps, a-t-elle poursuivi. Ah, vous voilà, Geoffrey, a-t-elle ajouté lorsque le concierge nous a finalement rejoints dans la salle. Je suis désolée de vous apprendre que ces garçons ont fait du grabuge dans la salle.

Le concierge a marmonné quelque chose et est sorti de la pièce en se traînant les pieds, probablement pour aller chercher une serpillière.

— Au moins une semaine de retenue pour tous les deux! a renchéri madame Prentice. Je veux vous voir lundi dans mon bureau après les cours. Maintenant, sortez d'ici.

— Mais… mais… ai-je commencé.

— Viens, a lancé Pradeep en regardant sa montre. Nous devons aller rejoindre m'man à la piscine, maintenant.

Il s'est retourné vers la directrice.

— Désolés de vous avoir fait perdre votre temps, Madame Prentice. Nous vous verrons en retenue, lundi.

Comme nous descendions l'escalier, j'ai ouvert la bouteille de Frankie.

— Désolé, Frankie, j'ai cru que nous pourrions les arrêter.

Il m'a tapoté le bras de sa nageoire. J'ai mis la main dans ma poche et j'en ai sorti des oursons à la gelée verts et un peu d'écume d'étang d'un sachet de plastique refermable.

— Tiens, voilà pour toi, ai-je dit en les laissant tomber dans la bouteille. Tu mérites une petite douceur après tout ce que tu as enduré.

Frankie a avalé le tout goulûment avant de faire un rot sonore.

— Où ont-ils bien pu déménager le poisson si rapidement? ai-je demandé à Pradeep en essuyant sur mon pantalon l'écume verte que j'avais sur les mains. Crois-tu qu'ils se sont rendu compte que nous les avions découverts ou plutôt qu'ils l'ont déplacé pour une autre raison?

— Je ne sais pas, a répondu Pradeep en fronçant les sourcils. Peut-être que la McSinistre a eu besoin de l'emmener dans un autre labo… mais au moins, nous avons récupéré Frankie et il semble bien se porter.

Lorsque nous sommes arrivés à la piscine, la mère de Pradeep était en grande conversation avec un autre parent; Pradeep et moi avons donc emmené Sami, sa petite sœur de trois ans, se changer avant que son cours de natation commence. Sami adore voir Frankie faire des tours, alors nous avons pensé que ça la ferait rire si nous remettions Frankie dans la piscine, et que ça remonterait le moral à notre poisson, après sa matinée passée à faire l'objet d'une expérience glacée.

Lorsque Sami a été prête, nous avons pris son flotteur vert à motif de sirènes et l'avons emmenée au bord de la piscine. Comme le cours n'allait pas commencer avant une dizaine de minutes, le vieux sauveteur roupillait toujours. Tout doucement, j'ai versé Frankie dans la piscine et j'ai attendu qu'il refasse surface pour faire quelques tours. Mais il n'est pas réapparu.

— Frankie ? l'ai-je appelé.

— C'est bizarre, a déclaré Pradeep.

Nous nous sommes détournés de Sami juste un instant pour chercher Frankie des yeux dans la piscine… et c'est à ce moment-là que nous avons entendu le « PLOUF ! »

— Yahoooo ! a crié Sami en sautant dans la piscine avec son flotteur vert autour de la taille.

— Sami ! lui a hurlé Pradeep. Nage vers le bord de la piscine ! Tu n'es pas censée aller dans l'eau sans un adulte !

C'est alors que j'ai aperçu un truc orange qui se déplaçait dans l'eau. Ce n'était pas du tout Frankie.

CHAPITRE 6

COMME UN POISSON HORS DE L'EAU

Une grosse nageoire orange est apparue dans la partie profonde de la piscine, suivie de deux énormes yeux exorbités, qui fixaient Sami.

— Sami! Sors tout de suite! ai-je crié. C'est le dino-poisson!

Pradeep s'est retourné pour regarder, juste au moment où le poisson de la taille d'un chien se précipitait vers sa sœur.

L'instant d'après, Frankie était devant la carpe jurassique, lui bloquant le chemin.

— Zombifie-le, Frankie! lui ai-je ordonné juste au moment où Pradeep sautait dans l'eau et tirait Sami sur le bord de la piscine, mais l'énorme poisson s'est cabré et a balayé Frankie de son chemin d'un coup de nageoire surdimensionnée.

— Froufrou poissonnet a un ami poissonnet! a rigolé Sami tandis que Frankie faisait un vol plané au-dessus de la piscine. Moi veux jouer! a-t-elle ajouté.

Pradeep avait finalement réussi à ramener Sami au bord. Je me suis agenouillé et je l'ai tirée hors de l'eau, laissant flotter son tube derrière elle.

— Pradeep! ai-je crié au moment où le dino-poisson allait soudainement foncer sur lui.

Il s'est retourné et a coincé l'anneau de plastique entre lui et le poisson. J'ai entendu un sifflement... les dents acérées du poisson avaient dû perforer le flotteur! Puis, tout à coup, Frankie est revenu. Cette fois, ses yeux luisaient d'un vert brillant et hypnotique de zombie. Il est entré directement dans le flanc du poisson géant, lui faisant lâcher le flotteur pour qu'il le suive de l'autre côté de la piscine.

Pradeep a grimpé hors de la piscine. Une seconde plus tard, Frankie est sorti d'un bond de la partie profonde et est retombé sur le sol. J'ai couru pour aller le chercher.

— Est-ce que ça va? ai-je demandé à Sami et Pradeep en ramassant Frankie, qui frétillait hors de l'eau, pour le remettre dans sa bouteille d'eau.

— Amusant! a ri Sami. Moi jouer avec gros frou-frou poissonnet plus tard?

— Je ne crois pas, non, ai-je contré en revenant vers eux.

— Tu as vu à quel point il a grossi? a questionné Pradeep, le souffle coupé.

Le dino-poisson se cachait de nouveau dans la partie profonde de la piscine.

— Il a atteint la taille d'un Labrador! a-t-il ajouté.

— Sami Kumar, est-ce que tu es allée dans cette piscine sans que je sois là? a résonné la voix de la mère de Pradeep dans l'enceinte de la piscine.

— Hein? Quoi? Non, je ne me suis pas assoupi! a protesté le sauveteur en se redressant dans sa chaise et en regardant tout autour.

— Moi allée nager avec les poissonnets, s'est joyeusement écriée Sami.

— Pradeep, Tom! a continué de crier madame Kumar. Est-ce que vous l'avez laissée aller dans l'eau?

J'ai vite dissimulé la bouteille et Frankie sous mon t-shirt.

— Nous avons tourné la tête juste une seconde… a commencé à dire Pradeep.

— Regarde dans quel état tu es, Pradeep. Tu es trempé. Le flotteur! s'est exclamée madame Kumar avec désapprobation en se dirigeant vers nous et en observant l'anneau vert qui se dégonflait lentement.

Qu'est-ce que Sami va utiliser pour son cours de natation?

— Il n'y aura pas de cours de natation, aujourd'hui, a prononcé une voix à l'accent écossais tandis que madame McSinistre sortait du vestiaire. Je suis vraiment désolée, mais nous devons annuler les cours aujourd'hui pour effectuer... euh... des réparations d'urgence dans la piscine. Je crains que vous ne deviez tous partir immédiatement.

Elle s'est tournée vers le sauveteur.

— Vous pouvez rentrer à la maison, vous aussi, maintenant! a-t-elle commandé.

Le sauveteur est presque tombé de sa chaise et s'est dirigé vers la sortie.

Madame Kumar a enveloppé Sami dans une grosse serviette moelleuse, en a tendu une à Pradeep et nous a accompagnés vers la porte. Madame McSinistre nous a, très rapidement mais poliment, fait sortir de l'aire de la piscine, en attendant que nous prenions toutes nos affaires, puis elle est elle-même sortie de la piscine et a verrouillé la porte derrière nous.

En traversant le terrain de stationnement pour retourner dans l'école, elle a regardé derrière elle pour s'assurer que nous partions.

— J'imagine que nous savons maintenant où ils ont déménagé le poisson ! ai-je chuchoté à Pradeep.

— Nous savons aussi que le poisson est vraiment dangereux, a souligné Pradeep en montrant le flotteur de plastique.

— Bon, est-ce que je peux vous faire confiance et vous demander de vous occuper de Sami pendant que je vais chercher la voiture ? a demandé madame Kumar en nous jetant un regard furieux. Tu es trempé, Pradeep ! a-t-elle ajouté d'un ton exaspéré. Heureusement que j'ai toujours des vêtements de rechange dans la voiture pour ce genre de situation.

— Merci, m'man, l'a remerciée Pradeep. Nous allons surveiller Sami, tu peux nous faire confiance.

Je me suis contenté de hocher la tête. Beaucoup. Puis, nous nous sommes laissés tomber sur les marches pour attendre avec Sami.

— Miiiaaaaaoooouuu !

Frankie a fait un bond par le goulot de sa bouteille en entendant ce son. Il a regardé tout autour, prêt au combat.

— Fang! avons-nous grommelé, Pradeep et moi.

Nous nous sommes retournés et nous avons vu une Fang très en colère qui se tortillait pour sortir d'un évent dans le mur extérieur de la piscine.

— Chatonnette pas contente, a remarqué Sami en tendant la main pour flatter Fang.

Au lieu d'essayer de repousser la main de Sami ou de la mordre, Fang s'est frottée contre sa jambe et l'a laissée la chatouiller.

— Ça, c'est bizarre, ai-je observé. Fang déteste tout le monde sauf Mark.

Même Frankie a baissé sa «garde» et a recommencé à nager en rond dans sa bouteille.

Sami a sorti son cahier à colorier et a commencé à dessiner. Elle a fait un énorme poisson avec de grandes dents effrayantes et des yeux comateux.

— Regarde, chatonnette, a-t-elle dit en montrant le dessin à Fang. Nouveau gros froufrou poissonnet!

Fang a sorti une griffe et d'un seul coup bien net, elle a fendu l'image en deux.

— Ah! me suis-je exclamé en comprenant soudainement. Je crois que Fang n'aime pas trop le dino-poisson elle non plus.

CHAPITRE 7

NE JAMAIS FAIRE CONFIANCE À UN CHATON VAMPIRE

Soudain, nous avons entendu tourner une clé dans la serrure de la porte de la piscine derrière nous. Les yeux de Frankie se sont mis à briller de nouveau ; j'ai donc posé la serviette de Pradeep sur la bouteille.

— Je croyais qu'il n'y avait plus personne à la piscine, ai-je chuchoté. Vite ! Cachons-nous !

Nous avons descendu l'escalier de bois en courant et nous nous sommes tapis dessous en jetant des coups d'œil par les espaces entre les marches.

La porte s'est ouverte au-dessus de nous et nous avons vu les espadrilles de Mark apparaître sur la première marche avant qu'elles disparaissent de nouveau. Puis, nous avons entendu le son d'un objet lourd qu'on traînait au-dessus de nos têtes, et nous avons vu Mark pousser un gros aquarium sur la rampe pour fauteuils roulants qui menait à l'entrée de la piscine.

— Miaou!

Fang est sorti de notre cachette en courant et a essayé de se frotter à la jambe de Mark pendant qu'il avançait.

— Hé, Fang, arrête ça! a lancé Mark en la repoussant du pied sur le côté juste au moment où la professeure McSinistre arrivait avec sa camionnette.

— Nous ferions mieux de sortir notre petit poisson d'ici avant qu'il devienne trop gros pour cet aquarium-là aussi! a affirmé madame McSinistre tandis qu'ils poussaient l'aquarium vers l'arrière de la camionnette. C'est un spécimen tout à fait merveilleux. Envoûtant, même, pourrait-on dire!

— Ça, on peut le dire! a renchéri Mark. Peut-être que nous devrions lui donner quelque chose à manger?

Comme… oh, je sais pas… peut-être quelque chose de vert ? Avez-vous… euh… vérifié les yeux du poisson ?

Nous pouvions voir la professeure McSinistre qui fixait le dino-poisson dans les yeux, qui continuaient à n'être ni verts ni tourbillonnants. Elle ne marmonnait certainement pas « froufrou poissonnet » ou quelque autre version préhistorique équivalente, comme « ougui, ougui », peut-être ?

— Tu as raison, a-t-elle concédé. Peut-être que le petit chéri pas-si-petit-que-ça a faim. Je vais aller lui chercher des protéines déshydratées et des aliments vitaminés pour le trajet.

— Des quoi ? a demandé Mark.

— Des flocons pour poissons, a-t-elle répondu. Allez, viens !

Une fois que la camionnette s'est mise en branle, nous sommes sortis de notre cachette, et Fang a émergé furtivement de sous un buisson à côté de la rampe.

— Il faut que nous les suivions ! a souligné Pradeep.

— Nous n'allons pas y arriver sur nos vélos… et de plus, il faut que nous surveillions Sami, ai-je répondu. Si seulement nous savions où ils s'en vont!

Fang s'est approchée de nous d'un air nonchalant et a laissé tomber un bout de papier à nos pieds.

Pradeep s'est penché pour le ramasser.

— «Centre aquatique du réservoir», a-t-il lu.

Sur la page couverture du dépliant, il y avait une photo d'un groupe d'enfants qui se faisaient tracter sur un bateau-banane.

— C'est là qu'ils s'en vont! ai-je lancé. C'est quoi, un réservoir, au fait?

— C'est un plan d'eau artificiel. Comme un lac, a expliqué Pradeep. Tu sais, t'as raison, ça serait logique d'y apporter le poisson. C'est grand, mais c'est un milieu cloisonné, de sorte que le poisson ne peut pas se sauver dans les cours d'eau ou la mer. Mais devrions-nous faire confiance à Fang? Ça pourrait être un piège.

Le chaton diabolique de Mark nous a jeté un regard furieux, puis elle s'est faufilée près de Sami, qui avait toujours à la main les deux morceaux de son dessin du dino-poisson. Fang lui a arraché l'image avec ses dents, l'a jetée dans les airs, puis l'a déchiquetée avec ses griffes acérées de chaton pour en faire des confettis.

— Neige de papier! s'est exclamée Sami en se mettant à rire.

— Fang déteste VRAIMENT ce poisson, ne dirais-tu pas? a fait remarquer Pradeep.

J'ai hoché la tête.

— Tout comme toi, n'est-ce pas, Frankie? ai-je ajouté en retirant la serviette de Pradeep.

Frankie a sorti la tête et a projeté un jet d'eau à Fang, qui a émis un feulement et a essayé de sauter sur la bouteille, mais je l'ai mise hors de portée.

— Zut alors! ai-je lancé. On dirait bien qu'elle déteste encore Frankie. Ne prenons pas trop nos aises avec le chaton diabolique, pas encore.

Au même moment, nous avons entendu résonner le klaxon de la voiture de la mère de Pradeep. Elle est la seule personne que je connais à posséder une voiture dont le klaxon semble crier «Cooooeeeee!»

Elle a conduit la voiture dans l'allée et a tendu à Pradeep un sac contenant des vêtements. Il a grimpé à l'arrière de la voiture pour les mettre pendant qu'elle ramassait les affaires de Sami.

— M'maaaannnnn! ai-je entendu Pradeep geindre sur le siège arrière. Ce sont les vêtements que mamie nous a envoyés l'année dernière! Je croyais que tu les avais donnés au centre d'entraide.

— Tu veux dire que tu pensais t'en être débarrassé? a répondu la mère de Pradeep. J'ai trouvé le sac que tu avais fourré sous ton lit, jeune homme.

— Arch, a grogné Pradeep.

Lorsqu'il est sorti, il portait un ensemble t-shirt et short assortis décoré de pandas qui s'embrassaient et de petits gâteaux au glaçage scintillant. Il faudrait vraiment mettre en quarantaine les vêtements qui jettent la honte comme ceux-là.

Même Frankie a laissé tomber la tête.

Pradeep m'a jeté un regard qui disait simplement :
«Aucun commentaire, s'il vous plaît».

Pendant que la mère de Pradeep installait Sami
dans la voiture, je lui ai dit :

— Hum, Madame Kumar. Sami semble vraiment
déçue de ne pas s'être baignée.

J'ai regardé du côté de Sami, qui souriait et qui n'avait pas le moins du monde l'air déçue. J'ai toussé plutôt fort et j'ai ajouté :

— Ouaip, elle a l'air vraiment TRISTE à cause de ça.

Sami a finalement compris ce que je voulais dire et a arboré son air sur mesure de « triste bambine à la lèvre inférieure qui tremble ». C'est un classique !

— Oh là là, s'est exclamée madame Kumar en voyant Sami.

— Peut-être pourriez-vous l'amener là-bas ? ai-je proposé en lui tendant de prospectus que Fang nous avait remis. Il paraît que c'est vraiment amusant. Nous pourrions aller vous rejoindre à vélo. N'est-ce pas, Pradeep ?

Pradeep a levé les yeux des pandas qui se faisaient des bisous sur son chandail et il a hoché la tête.

— Han, han.

— Eh bien, j'ai quelques petites courses à faire d'abord, mais j'imagine que nous pourrions y aller un peu plus tard, a accepté madame Kumar. Soyez prudents, tous les deux. Restez sur les pistes cyclables.

Personne ne se baigne avant que j'arrive! a-t-elle ajouté en agitant un doigt devant nous.

Nous avons hoché la tête.

— D'accord, allons-y! me suis-je écrié lorsque la voiture s'éloignait. Nous avons une professeure à aller voir au sujet d'un dino-poisson.

— Je ne peux pas me montrer en public habillé comme ça! a protesté Pradeep alors que nous traversions le sentier menant au hangar à vélos.

— Il le faut, ai-je répondu. Pour le bien de la science.

C'était un coup bas, je le savais, mais je savais aussi que c'était la seule chose à laquelle Pradeep ne pouvait s'opposer.

— D'accord, a-t-il marmonné en soulevant une jambe brillant sous les feux des petits gâteaux pour enfourcher son vélo. Pour la science.

CHAPITRE 8

POISSON DE RÉSERVOIR

Le réservoir n'est pas très loin de notre école, mais il est plutôt isolé. Il faut emprunter une loooongue allée pour y arriver. Au moment même où vous vous apprêtez à revenir sur vos pas parce que vous croyez vous être égaré, vous voyez enfin une pancarte annonçant le centre aquatique.

Lorsque nous sommes arrivés, j'avais vraiment mal au dos parce que Frankie n'avait pas arrêté de s'agiter pour essayer de sortir de sa bouteille, que je transportais dans mon sac à dos. Il était vraiment très remonté. Mais je crois avoir eu le meilleur jeu, toutefois, parce que Pradeep a dû prendre Fang sur son vélo, ce qui veut dire qu'il avait des griffes pointues de chaton qui s'enfonçaient dans sa cuisse chaque fois que nous tournions un coin plutôt serré ou à chaque cahot.

— Oooh, mes cuisses, geignait Pradeep en descendant lentement de vélo une fois que nous sommes arrivés au centre aquatique.

Fang a sauté sur le sol et s'est immédiatement mise à courir vers la camionnette de la professeure McSinistre.

Nous avons verrouillé nos vélos, et j'ai ouvert le couvercle de la bouteille de Frankie pour lui permettre de sortir la tête. Il a étiré sa tête hors de l'eau tant qu'il a pu et s'est efforcé de regarder bien attentivement pour tenter de voir s'il y avait signe de Mark, de la professeure McSinistre ou du dino-poisson. Puis, il a levé une nageoire et l'a tendue.

Pradeep et moi l'avons suivie du regard. Nous arrivions à peine à distinguer quelqu'un dans un sarrau blanc de scientifique qui se tenait devant la camionnette au bord de l'eau dans une petite section

du réservoir délimitée par des cordes. Il y avait de grands brise-vent, semblables à des clôtures, qui nous bloquaient la vue, de sorte que nous ne pouvions pas vraiment voir ce qu'il y avait dans l'eau.

— Mark! avons-nous lancé en même temps, Pradeep et moi.

Le réservoir lui-même était très imposant. Il avait au moins la taille de deux terrains de football, en forme de rein. Nous étions à une extrémité de la courbe et Mark était du côté opposé. Les bateaux à moteur et les bouées tractées étaient à l'ancre à l'extrémité la plus éloignée du lac. Il y avait d'autres personnes de notre côté qui garaient leur voiture ou leur camionnette, mais ils n'avaient pas l'air d'être là pour les sports aquatiques. À l'extrémité du terrain de stationnement, la professeure McSinistre parlait à des gens qui tenaient des micros et des caméras. Il y avait aussi d'autres personnes portant des sarraus blancs.

— En temps et lieu, Mesdames et Messieurs, a indiqué la professeure en levant les mains. Il nous

reste encore à faire quelques préparatifs, puis nous pourrons faire l'annonce que vous attendez.

— Elle va leur dévoiler le dino-poisson ! ai-je compris. Ça doit être son plan.

— Si c'est un zombie de poisson géant, Mark va pouvoir lui ordonner de zombifier tous les journalistes, qui vont faire tout ce qu'il va vouloir, a souligné Pradeep. Nous ne savons toujours pas de quoi est capable ce poisson !

La professeure McSinistre ne nous a pas remarqués lorsque nous nous sommes faufilés dans la foule de journalistes afin de nous diriger vers Mark, à l'autre extrémité du lac. Lorsque nous avons été suffisamment près, nous nous sommes cachés derrière la camionnette pour voir Mark sans être vus. Fang nous avait suivis, mais je ne la voyais pas à ce moment précis. Ça me tracassait. Vous devriez toujours savoir où se trouve un chaton diabolique, juste au cas.

— Je sais que tu as du zombie de poisson dans tes gènes! disait Mark en montrant du doigt la section du réservoir délimitée par des cordes. Il y a beaucoup de gens qui sont venus te voir... et tu vas les hypnotiser et les mettre sous mon emprise. Puis, je vais avoir une équipe de scientifiques que je vais pouvoir transformer en scientifiques diaboliques, et les journalistes vont annoncer au monde entier les chouettes choses diaboliques qu'on va faire. Nous allons casser la baraque. Pourquoi vas-tu faire ça pour moi, mon p'tit dino-poisson diabolique? Parce que j'suis la personne qui te donne de bonnes petites gâteries vertes, n'est-ce pas?

Il a tendu un morceau de pain moisi vert bien haut au-dessus de sa tête et le poisson a sauté complètement hors de l'eau pour l'arracher de la main de Mark.

Pradeep et moi avons pris une grande inspiration de surprise. Le dino-poisson avait maintenant la taille d'une petite baleine!

Frankie a sorti la tête de la bouteille d'eau. Ses yeux brillaient de leur éclat vert vif de zombie, mais aussi, la salive lui coulait sur le menton. Je ne sais pas s'il savait lui-même s'il était en colère ou s'il avait faim, ou les deux.

— Hé, fais attention à mes ongles, poisson! a lancé Mark, de mauvaise humeur.

— Ce poisson est aussi gros qu'une voiture! ai-je indiqué à Pradeep en chuchotant. Comment a-t-il pu grandir aussi vite?

— Programmation génétique? Stimulation hormonale accélérée? Thérapie intensive d'expansion thermoréactive? a pensé Pradeep tout haut. Ou peut-être a-t-il simplement une forte constitution?

— Peu importe la raison, ai-je riposté, nous devons arrêter Mark!

Pradeep m'a montré quelque chose du doigt.

— Oh non… Frankie! Il doit vouloir essayer d'arrêter Mark tout seul!

J'ai sorti la tête de derrière la camionnette et j'ai vu Frankie qui sautillait d'une flaque à une autre pour traverser le sentier asphalté et se diriger vers le bord de l'eau.

Au moment où Mark a lancé le dernier morceau de pain moisi vert dans les airs en direction du lac, Frankie a fait un bond vers le réservoir et l'a avalé d'un trait avant de retomber dans l'eau.

— Ou peut-être qu'il veut juste de la nourriture! ai-je marmonné.

— Hé! Crétin de poisson! a hurlé Mark. Tu vas avoir affaire à moi.

Frankie est revenu à la surface, et ses yeux étaient maintenant d'un total vert de zombie.

— Dino-poisson! Attrape-le! a lancé Mark.

CHAPITRE 9

MONSTRE AUX YEUX VERTS

Pradeep et moi sommes sortis en courant de derrière la camionnette.

— Nage, Frankie! Nage! ai-je crié tandis que le dino-poisson faisait surface derrière lui.

— Petits crétins! s'est écrié Mark en souriant d'un air suffisant. Très bien. Vous allez pouvoir assister au déploiement de mon plan diabolique à l'échelle mondiale. La professeure McSinistre et moi serons invités partout dans le monde avec notre dino-poisson, et partout où nous irons, on va pouvoir zombifier les gens. Si les gens n'aiment pas ça... eh bien, le dino-poisson ne va faire qu'une bouchée d'eux.

— Tu ne vas pas t'en tirer comme ça! s'est opposé Pradeep.

— Ouais, au contraire, je pense que oui, a rétorqué Mark. Professeure McSinistre et moi allons former la meilleure équipe diabolique de tous les temps.

— Attends un peu, l'ai-je interrompu. T'as un béguin de scientifique diabolique pour la professeure McSinistre?

— Non, c'est pas vrai! a nié Mark.

— Oui, c'est vrai, ai-je insisté.

— NON, PAS VRAI! a répété Mark en tapant du pied.

— Oui, c'est teeelllllleeeement vrai, l'ai-je taquiné.

Nous avons été interrompus par le bruit d'un énorme remous dans l'eau, où Frankie et le dino-poisson se tournaient autour l'un de l'autre.

— Oh, désolé, Frankie, me suis-je excusé. Allez, saute hors de là!

Mais chaque fois que Frankie essayait de se déplacer, le dino-poisson se mettait sur son chemin.

— Frankie! l'a interpellé Pradeep. Essaie de nager vers la plus grande partie du réservoir! Tu vas avoir une meilleure chance de t'enfuir dans un espace plus grand!

— Il ne peut pas, a indiqué Mark en souriant. Il y a un filet tendu sous cette corde, qui bloque toute cette partie du lac. C'est un enclos protégé. Rien ne peut y entrer ou en sortir.

— À moins que quelqu'un ou quelque chose utilise un objet super tranchant pour couper la corde qui tient le filet et laisse sortir le poisson, a souligné Pradeep.

— Ouais, j'imagine…

Mark avait l'air de s'y perdre.

— Mais qui va faire ça ?

— Euh… Fang… je crois, ai-je marmonné en montrant du doigt le chaton qui était perché sur le bord du lac, ses griffes tranchantes comme une lame de rasoir, s'apprêtant à couper la corde.

— Noooon ! a crié Mark tandis que son chaton a abaissé des griffes. Tu ne peux pas faire sortir le dino-poisson ! Ça va ruiner tous nos plans diaboliques !

Mais, il était trop tard. La corde s'est séparée en deux, faisant tomber le filet au fond du lac.

Frankie et le dino-poisson se sont tous les deux immobilisés et ont regardé le reste du lac. Puis, les yeux de Frankie sont revenus à leur couleur normale de poisson rouge. L'énorme dino-poisson a regardé Frankie directement dans les yeux… et pendant un instant, j'ai eu l'impression que ces deux-là communiquaient du regard. Mais cet instant n'a pas duré bien longtemps. Fang a fait un bond depuis la rive du lac pour atterrir directement sur le dos du dino-poisson. Elle a enfoncé ses crocs dans la nageoire dorsale du poisson, qui s'est cabré de douleur avant de disparaître sous l'eau, avec Fang qui s'accrochait toujours désespérément à son dos.

L'eau du lac est devenue sinistrement immobile.

— Fang! a glapi Mark, soudainement paniqué. Où est-elle?

Il a semblé s'écouler des lustres avant que le dino-poisson refasse surface dans la partie principale du réservoir, qui était cachée par les brise-vent du groupe grandissant de personnes qui se trouvaient à l'autre extrémité du lac.

— Il est là-bas! a crié Pradeep en montrant le chaton tout mouillé qui s'accrochait toujours au dos du poisson géant.

Le dino-poisson s'est cabré de nouveau et Fang est tombée, impuissante, dans l'eau.

— Je viens te chercher, Fang! a crié Mark en retirant ses chaussures et en laissant tomber son sarrau blanc de scientifique diabolique sur le sol.

Il a plongé dans l'eau et s'est dirigé vers son chaton qui s'agitait dans tous les sens.

— Mark! ai-je crié. Fais attention!

Mais une fois encore, l'eau du lac s'est immobilisée et le poisson géant n'était nulle part en vue.

En quelques secondes, Mark avait rejoint Fang. Il l'a prise et l'a posée sur sa tête pour qu'elle soit hors de l'eau.

— J'ai de l'eau boueuse plein les yeux, a-t-il gargouillé. Je n'arrive pas à voir dans quelle direction nager!

— Tiens bon, Mark, l'ai-je encouragé.

J'ai attrapé l'une des bouées qui pendaient près de l'eau et je l'ai lancée aussi loin que j'ai pu. Elle a amerri assez près de Mark, mais pas suffisamment pour qu'il puisse l'agripper.

— Il va falloir que je saute à l'eau, ai-je déclaré à Pradeep.

CHAPITRE 10

CHAT-ASTROPHE

Juste au moment où j'allais retirer mes espadrilles, Pradeep a montré quelque chose du doigt.

— Regarde ! C'est Frankie.

Les yeux de mon poisson domestique luisaient de nouveau. Nous arrivions tout juste à le voir s'approcher en nageant dans l'eau trouble, plonger sous l'anneau et le tirer pour l'apporter à Mark. Mark a passé l'anneau autour de sa taille, puis il s'est mis à pagayer avec ses mains, et Frankie l'a tiré vers la rive du lac.

J'ai enlevé Fang de sur la tête de Mark et l'ai tendue à Pradeep, qui l'a enveloppée dans son manteau pour la réchauffer. Puis, j'ai recouvert les épaules de

Mark de sa veste de scientifique diabolique. Il s'est assis sur le sol et Pradeep lui a tendu le manteau dans lequel Fang était roulée en boule.

— Espèce de petite idiote de chaton diabolique, a craché Mark en lui flattant la tête. Pourquoi as-tu fait ça? Tu es le meilleur animal domestique diabolique du monde. Aucun poisson stupide ne pourrait te remplacer.

Fang a miaulé doucement et a frotté sa tête contre la main de Mark. Puis, elle a mordu le doigt de Mark très fort et a lacéré le manteau de Pradeep pour s'en libérer.

— AÏE! a crié Mark. Ouaip, je reconnais bien là ma petite chatonnette-mignonnette diabolique.

Fang a secoué son pelage pour le débarrasser de l'eau et s'est approchée à pas furtif de Frankie, qui haletait dans une flaque d'eau à l'intérieur de l'anneau de la bouée.

— Attention... ai-je commencé à l'avertir.

Mais au lieu d'attaquer Frankie, Fang a régurgité la boule de poils verte, visqueuse et écumeuse la plus dégoûtante que j'aie jamais vue et l'a roulée avec son museau vers Frankie.

— Il ne va pas vraiment... a commencé à dire Pradeep au moment où Frankie l'a avalée d'un coup et a fait un rot de satisfaction pour remercier Fang. C'est le traité de paix le plus dégueulasse que j'aie jamais vu, a-t-il remarqué.

— C'est un zombie de poisson rouge, lui ai-je rappelé. Ils ne sont pas reconnus pour leurs bonnes manières à table.

Au même moment, la professeure McSinistre s'est approchée de l'enclos et a regardé la scène.

Son assistant diabolique était trempé jusqu'aux os, et assis sur le sol à côté d'un poisson rouge au centre d'une bouée et d'un chaton très mouillé et grincheux. Oh ouais, j'oubliais, et il y avait Pradeep et moi qui essayions de donner le change comme si tout ça était parfaitement normal.

— Bonjour, professeure McSinistre, l'a saluée Pradeep de sa meilleure voix «pour parler à un prof».

— N'essaie pas de me donner du «Bonjour, professeure McSinistre». Que se passe-t-il? a-t-elle exigé de savoir. Attendez, vous êtes les garçons que j'ai vus à la piscine? Qu'est-ce que tu portes là? a-t-elle ajouté lorsque l'ensemble petits-gâteaux-et-panda de Pradeep a brillé au soleil. Un instant, et ça, c'est bien le spécimen hôte, n'est-ce pas?

Elle a levé les yeux pour regarder autour et a vu que la corde qui était censée retenir le filet avait été lacérée.

— Mark, qu'a-t-il bien pu se passer? Où est notre «découverte spéciale»?

Mark s'est levé.

— Il est là-bas, a-t-il répondu en montrant le réservoir du doigt. Le stupide de crétin de dino-poisson a presque tué Fang.

— Mais quelqu'un l'avait provoqué, a ajouté Pradeep.

Mark a foudroyé Pradeep du regard.

— Nous ne pouvons pas annoncer l'existence du dino-poisson au monde! ai-je déclaré en me mettant devant la professeure McSinistre. Nous n'allons pas vous laisser utiliser ce poisson pour réaliser vos plans diaboliques!

Madame McSinistre a rejeté la tête vers l'arrière et a poussé un grand rire de scientifique diabolique.

— Mwhaaa haaa haaa haa haa! Mes… mwhaaa… plans… mwhaaaa… diaboliques? a-t-elle hoqueté entre deux rires. Mais de quoi… mwhaa haa haa haa… parlez… haa… vous?

— Nous savons que vous êtes une scientifique diabolique, a affirmé Pradeep.

— Mais qu'est-ce qui a bien pu vous faire penser ça? a râlé madame McSinistre, en maîtrisant finalement son fou rire.

— Eh bien… il y a le sarrau blanc, ai-je commencé.

— Les médecins portent eux aussi des sarraus blancs, a-t-elle contré. Sont-ils diaboliques pour autant?

— Qu'en est-il du rire diabolique? a questionné Pradeep en fronçant les sourcils.

— Ach! C'est juste la manière dont je ris. Vous auriez dû entendre ma grand-maman. Elle avait l'air d'une vraie sorcière de conte de fées, lorsqu'elle entendait une bonne blague.

La professeure McSinistre a souri.

— Quoi d'autre?

— Eh bien… il y a votre nom, ai-je répondu. McSinistre, ça sonne plutôt diabolique, vous ne pensez pas?

— Totalement, a renchéri Mark. Mais… comme… d'une bonne manière.

Fang a feulé vers la professeure McSinistre.

— C'est un vieux nom de famille écossais. Du clan des McSinistre. Ça existe depuis des siècles. Bon, c'est tout ce que vous avez ? a-t-elle demandé en se mettant les mains sur les hanches.

— Ça, et le fait que vous avez travaillé avec le grand frère scientifique diabolique de Tom, que vous avez enlevé notre poisson rouge domestique pour faire une expérience et que vous avez créé un dino-poisson monstre de la taille d'une voiture, que vous allez utiliser pour conquérir le monde, a expliqué Pradeep. Mais c'est surtout les autres trucs.

— Tu m'as fait marcher, alors, jeune homme, a compris la professeure McSinistre en regardant Mark et en levant un sourcil.

Mark a baissé les yeux.

— Tu m'as menti en me disant que le poisson était à toi, alors qu'en réalité, c'est l'animal de compagnie de ces deux petits garçons, a-t-elle indiqué très calmement d'un air sévère. En fait, tu veux devenir un scientifique diabolique… et pas du tout un chercheur scientifique. Tu as l'intention de te servir du poisson préhistorique que j'ai cloné pour dominer le monde !

Mark continuait de fixer le sol.

— Peut-être ? a-t-il répondu en haussant les épaules.

— Si, c'est ça, avons-nous dit ensemble, Pradeep et moi, en hochant la tête.

— Miaouuuuu, a fait Fang en signe d'assentiment.

— Je suis vraiment désolée, les garçons ! s'est excusée la professeure McSinistre en se tournant vers nous. Je n'en avais aucune idée.

Elle s'est baissée et a regardé Frankie qui nageait en rond dans la flaque au centre de la bouée.

— Excuse-moi, petit poisson. Je n'aurais pas dû me servir de ton matériel génétique sans ta permission. Je n'aurais pas dû te congeler, et je suis contente de voir que tu t'en es sorti indemne.

Puis, elle nous a regardés de nouveau.

— Je ne suis pas diabolique. Je voulais juste prouver au monde scientifique que c'était possible. Vous voyez, je crois que si nous arrivons à mieux comprendre les

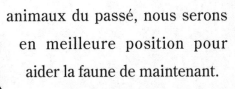

animaux du passé, nous serons en meilleure position pour aider la faune de maintenant.

— Mais ce qui s'est vraiment passé, c'est que vous avez créé un géant poisson qui fait peur, et que personne ne sait quoi faire avec lui ! a lancé Pradeep.

— Où est rendu le poisson, maintenant ? a demandé la professeure McSinistre, soudainement alertée. Il ne peut pas survivre seul. Il faut que nous le trouvions.

— Je crois que je sais comment, ai-je indiqué en baissant les yeux vers Frankie.

CHAPITRE 11

POISSON AMI OU ENNEMI ?

Au même moment, nous avons entendu une voix familière, mais totalement inattendue.

— Allllloooooo, mon chééééériiiiii ! criait la mère de Pradeep depuis l'autre côté du lac.

Le sac à dos de Sami bondissait sur son dos tandis qu'elle arrivait vers nous en sautillant dans son maillot de bain et son anneau en plastique vert muni d'une rustine.

— M'man ? a grommelé Pradeep.

— Désolée d'avoir pris autant de temps avec les courses, s'est-elle excusée en faisant à Pradeep un gros câlin bien embarrassant. Tu es si mignon, dans l'ensemble de mamie.

— M'maaan, a marmonné Pradeep alors qu'elle lui pinçait les joues. Pas devant la scientifique. De grâce.

J'étais en train d'échanger avec Pradeep un regard qui signifiait : «Ouah, dommage, ta mère qui te fait un câlin mégagênant…» lorsque madame Kumar m'a attrapé et serré dans ses bras.

— Je pourrais demander à mamie d'envoyer un t-shirt comme celui-là pour toi aussi, Tom, s'est-elle écriée. Vous seriez assortis, les garçons.

Mark a pouffé de rire et Fang a même poussé un petit ricanement moqueur.

Madame McSinistre a fait un pas en avant.

— Bonjour, je suis la professeure McSinistre. Nous nous sommes rencontrées un peu plus tôt à l'école.

Elle a serré la main de madame Kumar.

— Mark, pourquoi ne prends-tu pas Fang pour aller vous sécher pendant que nous pensons à ce que nous allons faire pour…

Elle a fait une pause.

— Notre petit problème.

Mark a pris Fang, et il ricanait toujours en se dirigeant vers la camionnette.

— Votre fils et son ami étaient sur le point de m'aider à réaliser un court projet scientifique, a poursuivi la professeure. Est-ce que je peux vous les emprunter pendant un petit moment?

— Moi aider aussi? a offert Sami en sautant sur place.

— D'accord, tu peux rester avec Pradeep et Tom, mais tu ne vas pas dans l'eau, a insisté madame Kumar. Je vais aller voir ce qui se passe là-bas, près de la scène, de l'autre côté du lac.

Dès que madame Kumar est partie, je me suis tourné vers madame McSinistre.

— Sami et notre poisson rouge ont un lien bien spécial, lui ai-je expliqué. Je crois qu'elle va pouvoir nous aider.

J'ai remis Frankie dans sa bouteille, que j'ai tendue à Sami. Elle a fixé ses yeux verts brillants et l'instant d'après, elle regardait l'intérieur de la narine gauche de Pradeep d'un œil et le côté de la camionnette de l'autre.

— Est-ce que ce poisson rouge vient juste d'hypnotiser cette petite fille? Extraordinaire! s'est exclamée la professeure McSinistre en fixant Sami et Frankie.

— Froufrou, petit poissonnet, marmonnait Sami.

Puis, son visage a pris un air étrange… comme si elle parlait à Frankie dans sa tête.

— Froufrou poissonnet Frankie comprend pas langage du grand froufrou poissonnet, a-t-elle expliqué. Grand poissonnet parle en images et en sons « ougui, ougui ». Pas de mots.

Sami a sorti ses crayons de cire et du papier de son sac à dos, et elle s'est mise à dessiner vraiment vite. Ça ressemblait à un dessin d'hommes des cavernes… mais de nous et du dino-poisson.

— Incroyable! Elle se sert des techniques de communication picturale préhistoriques pour se faire l'interprète du poisson, a remarqué la professeure McSinistre en regardant attentivement le dessin de Sami.

Pradeep m'a jeté un coup d'œil, et il était sur le point de me traduire le langage scientifique lorsque j'ai compris :

— Sami dessine ce que dit le poisson, c'est ça?

— Exactement, a-t-il répondu en faisant un sourire en coin.

Sami a dessiné une image du dino-poisson qui avait l'air triste dans une boîte. Puis, elle a dessiné une autre image de lui qui avait l'air heureux dans un grand espace bleu. Enfin, elle a dessiné un flotteur vert, des algues vertes et les yeux verts de zombie de Frankie, et une image du dino-poisson qui se léchait les babines comme s'il avait faim.

— Alors, le dino-poisson veut manger des choses vertes. Comme Frankie, a indiqué Pradeep. Ça doit être pour ça qu'il a essayé d'attraper le flotteur vert de Sami, tout à l'heure à la piscine. Il ne voulait pas la manger, elle, mais juste son flotteur.

— Ça doit être pour ça aussi que le dino-poisson a pourchassé Frankie seulement lorsque ses yeux brillaient de leur vert de zombie. Il a dû penser qu'il s'agissait de nourriture ! ai-je ajouté.

Sami a cligné les yeux plusieurs fois et a hoché la tête.

— Fini ! a-t-elle annoncé, puis elle a souri.

Frankie a brisé le contact visuel et s'est laissé retomber dans sa bouteille d'eau en faisant un « plouf ».

— Est-ce que votre poisson rouge était en train de… nous parler au moyen de dessins de ta petite sœur? a demandé la professeure McSinistre en s'appuyant sur une clôture et en se grattant la tête.

— Je ne voudrais pas avoir ce crétin de poisson dans ma tête, a craché Mark, souriant d'un air suffisant en s'avançant vers nous tandis qu'il se séchait les cheveux avec une serviette.

Frankie a jeté un regard furibond à Mark.

— Je crois que c'est mutuel, a lancé Pradeep.

— On dirait bien que Frankie et le dino-poisson avaient déjà communiqué par regards avant que le dino-poisson parte avec Fang sur son dos. Ça doit être à ce moment-là que Frankie a découvert tout ça! ai-je compris.

La professeure McSinistre a jeté un coup d'œil à l'eau dans le réservoir, puis en direction de Sami. Puis, elle s'est retournée et a regardé tous les journalistes et les scientifiques qui s'étaient réunis pour entendre sa déclaration.

— Je ne peux pas faire ça, a-t-elle refusé. Je ne peux pas soumettre le dino-poisson à une vie où il sera enfermé dans un aquarium, à être examiné et sondé de partout… mais je ne peux pas non plus le laisser seul en liberté.

Sami a tiré sur l'ourlet du sarrau blanc de la professeure McSinistre.

— Dino-poissonnet besoin d'une gardienne? a-t-elle demandé.

La professeure McSinistre a baissé les yeux vers Sami.

— C'est exactement ça! a-t-elle acquiescé. Si je pouvais suivre le dino-poisson à l'état sauvage, je pourrais le surveiller, mais aussi étudier son comportement.

— Alors… pas de domination mondiale? Pas de plans diaboliques du tout? a ronchonné Mark. Zut, alors!

Fang était confortablement assise dans la poche de Mark, aiguisant ses griffes sur ses crocs.

— Bon, Mark, je compte sur toi pour m'aider dans tout ça, a annoncé la professeure.

— Oh, pas sérieuse! a réagi Mark en grommelant tandis que Fang est sortie de sa poche, a feulé et a commencé à dessiner sur le sol avec sa patte.

— Je crois que ton chaton diabolique est en train de te donner un ultimatum, Mark, est intervenu Pradeep.

— Un quoi ? a-t-il demandé.

— Elle est en train de te dire que c'est le dino-poisson ou elle, ai-je répondu.

Fang a miaulé en hochant la tête.

Nous avons regardé son dessin. C'était un poisson, biffé d'une grosse croix.

— D'accord, d'accord, je vais vous aider à vous débarrasser du dino-poisson, a soupiré Mark, et Fang est retournée en sautant dans sa poche, en ronronnant abondamment.

— Professeure McSinistre, a commencé Pradeep. Je crois avoir une idée pour que vous puissiez fuir avec le dino-poisson et échapper à tous les journalistes et les scientifiques.

— Nous allons avoir besoin de Frankie pour jouer quelques scènes, d'accord? ai-je ajouté.

— Oh, ouais, a dit Pradeep. Frankie, peux-tu faire ton air de dino-poisson de nouveau?

Frankie a pris la même expression que lorsque la professeure avait montré la diapositive du dino-poisson dans l'auditorium de l'école un peu plus tôt.

— Incroyable, s'est exclamée la professeure. C'est un poisson rouge très spécial que vous avez là. D'accord, les garçons, mettons-nous au travail!

CHAPITRE 12

FRANKIE SOUS LES PROJECTEURS

La première chose que nous devions faire était d'informer le dino-poisson de nos plans. Frankie a sauté dans l'eau et a allumé le vert vif de ses yeux aussi brillant qu'il a pu. Le dino-poisson est arrivé à la vitesse de l'éclair. Frankie a vite ramené ses yeux à la normale tandis que Sami mettait le plan en images et montrait chacune d'elles au poisson géant.

— Dino-poissonnet aime les images, a déclaré Sami.

Elle a tapoté la tête de l'énorme poisson. En éclaboussant un peu, le dino-poisson a levé sa nageoire avant et a tapoté la tête de Sami à son tour.

— Il apprend vite, aussi, a remarqué Pradeep. Tu es prêt, Frankie ?

Frankie s'est tourné et a fait un signe de nageoire en l'air pour montrer qu'il l'était.

Ensuite, nous avons remis Frankie dans sa bouteille afin qu'il puisse zombifier Sami encore une fois. Si tout se passait selon le plan, elle serait sans doute en mesure de communiquer un peu avec le dino-poisson dans sa tête.

Enfin, derrière les grands brise-vent, Frankie a sauté dans l'énorme aquarium que la professeure McSinistre avait commandé pour transporter le dino-poisson sur la scène, qui était alors recouverte d'un grand drap noir. Une grue mobile qui servait habituellement à déplacer les bateaux a soulevé l'aquarium et s'est mise à rouler lentement vers la scène, à l'autre bout du lac.

Avant de monter sur la scène, madame McSinistre nous a remis des jumelles et des émetteurs-récepteurs à fixer sur nos vêtements pour pouvoir communiquer avec nous.

— Je me sers de ça tout le temps, lorsque je donne des conférences, a-t-elle expliqué. Mais jamais je n'aurais pensé que ça serait utile pour des plans d'évasion secrète!

Elle a souri et s'est même permis de pousser un petit «Mwhhaa haa hii hii».

— Tout ça, c'est vraiment excitant, a-t-elle ajouté.

Les caméras étaient toutes en marche et les journalistes étaient prêts lorsque la grue a mis l'aquarium en place et que la professeure McSinistre est montée sur scène.

Entre-temps, nous devions amener le dino-poisson à l'autre bout complètement du réservoir pendant que la conférence de presse avait lieu… et sans être vus, par-dessus le marché. De l'autre côté du lac, il y avait une bande de terre d'environ un mètre entre le réservoir et un petit fleuve qui menait à la mer.

— Le meilleur moyen de ne pas être vus, a indiqué Pradeep, c'est justement de se faire voir.

— Hein? avons-nous fait à l'unisson, Mark, Sami et moi.

— Que diriez-vous de traverser le réservoir à dos de dino-poisson? a proposé Pradeep en souriant.

— Je savais bien que tes cellules nerveuses de l'intelligence allaient s'assécher un jour. T'es complètement dingo, a souligné Mark.

C'est alors qu'une petite lumière s'est allumée dans mon cerveau. J'ai pris le dépliant du centre aquatique, que Sami tenait toujours à la main, et j'ai regardé l'image d'enfants qui faisaient un tour de bateau-banane.

— Pradeep est un génie! ai-je lancé. Personne ne va faire attention à ce sur quoi nous allons traverser le lac! Ils vont juste voir quelques enfants joyeux qui font un tour sur l'eau au centre aquatique! ai-je ajouté en montrant l'image.

— Lorsque tu vas parler au dino-poisson dans ta tête, Sami, rappelle-toi de penser en images, a indiqué Pradeep.

— Moi penser à image de promenade sur l'eau! a lancé Sami en rigolant.

Elle a regardé en direction du dino-poisson, qui nageait en rond.

— Tour de bateau gros froufrou poissonnet. Yahoooo!

CHAPITRE 13

UN PLAN COMPLÈTEMENT DINGUE

— Je ne sais pas pourquoi j'ai accepté de faire ça, a déclaré Mark dans un accès de colère alors qu'il s'assoyait aux commandes d'un bateau à moteur au bord de l'eau.

Fang était assise près du gouvernail et se nettoyait les pattes.

— Parce la professeure McSinistre a dit que si tu ne le faisais pas, elle allait dire à m'man tous les mensonges que tu as racontés, et que tu serais privé de sorties à jamais, lui ai-je rappelé.

— Oh ouais, a dit Mark. Ça.

Il a mis le moteur en marche.

Pradeep, Sami et moi sommes montés sur le dos du dino-poisson, qui a commencé à nager.

— Sami, tu continues de parler en pensée avec le dino-poisson pour qu'il sache quoi faire, d'accord ? ai-je vérifié.

— Yahoooo ! Amusant froufrou poissonnet, a répondu Sami, d'une manière à moitié zombie.

Mark a augmenté le régime du moteur, puis il s'est éloigné de la rive. Le dino-poisson l'a suivi, de suffisamment près pour donner l'impression que nous étions tirés par le bateau. Nous devions ressembler aux enfants de la photo sur le dépliant.

Madame Kumar, qui se trouvait dans l'auditoire, avec bon nombre de journalistes et de scientifiques, nous a fait un signe de la main lorsque nous sommes passés devant la scène. Ils ont tous présumé que notre activité faisait partie des préliminaires à l'annonce, j'imagine.

Avec mes facultés de lecture sur les lèvres, j'ai vu que madame Kumar disait à l'homme qui se trouvait à côté d'elle : «Mes enfants sont sur ce bateau-banane. Apparemment, ça fait partie d'un projet de sciences! La professeure McSinistre leur a demandé spéciale-ment de l'aider, vous savez. » Elle a fait une petite pause et a secoué la tête. «La science a certainement beau-coup changé depuis que je suis allée à l'école. »

Lorsque madame McSinistre a été prête à parler, nous étions arrivés sur la rive de l'autre côté du réser-voir, aussi près du fleuve que nous pouvions nous en approcher. Le dino-poisson nous a laissés descendre de son dos et a nagé près de l'endroit où nous nous trouvions sur la rive, là où Mark avait garé le bateau à moteur. Nous pouvions entendre ce que disait la professeure McSinistre grâce aux écouteurs qu'elle nous avait remis.

— Chers amis et collègues, a-t-elle commencé. Je crois qu'il est temps pour la science d'ouvrir de nouvelles portes. De prendre des chances et des risques qui mèneront à d'excitantes nouvelles découvertes.

La foule s'est mise à applaudir.

— J'ai ici les résultats de mes expériences. Ma découverte excitante qui va changer à jamais notre manière de voir la paléontologie et la génétique…

Au même moment, le rideau s'est levé pour révéler ce que contenait l'aquarium.

Au lieu de l'exclamation d'admiration qu'ils auraient probablement poussée si on leur avait montré le vrai dino-poisson, il y eut plutôt des murmures perplexes.

Des murmures remplis de « Hein ? », « Quoi ? » et de « Il me faut mes lunettes pour voir ça » émanaient de la foule.

J'imagine que Frankie nageait dans l'aquarium en faisant sa meilleure imitation de la tête du dino-poisson

rouge, c'est-à-dire qu'il avait l'air quelque peu comateux et abruti.

— Huuummmm, est-ce que ça ne ressemble pas à un poisson rouge ordinaire ? a lancé une voix que j'ai imaginé appartenir à l'un des journalistes.

— Est-ce que c'est le cas ? a demandé la professeure McSinistre.

— Il ne ressemble pas du tout à l'image du poisson que vous nous avez montrée sur le site d'excavation ce matin, a indiqué une autre voix.

— Non, j'imagine qu'il n'y ressemble pas, a répondu madame McSinistre.

Les journalistes se sont tous mis à grommeler qu'on leur avait fait perdre leur temps.

— Pas du tout le genre de nouvelle pour la une que nous avion espérée, a souligné une autre voix.

— Ouais, j'vais être chanceux si ça obtient même un entrefilet dans le journal, a ronchonné une autre.

— C'est exactement ce que nous souhaitions, a chuchoté la professeure McSinistre à mots couverts dans l'émetteur. D'accord, Mark, tu peux rapporter le bateau, maintenant, a-t-elle ajouté.

— Voilà qui met fin à ma participation, les crétins, a craché Mark en faisant démarrer le moteur. Nous revenons désormais à la normale diabolique, Fang et moi... n'est-ce pas, Fang?

Fang a feulé à notre égard tandis que le bateau s'éloignait en direction de la scène.

J'ai regardé avec les jumelles la scène où se tenait la professeure McSinistre avec quelques autres scientifiques.

— Professeure McSinistre? l'a interpellée l'un d'eux. Nous nous inquiétons que vous ayez subi un peu trop de pression à cause de ce projet. Avez-vous pensé à faire une pause?

— Oui, prenez un peu de recul par rapport à votre recherche pendant un certain temps, a suggéré quelqu'un d'autre. Vous reviendrez lorsque vous serez reposée, dans un an ou... a-t-il proposé d'un ton hésitant.

— Peut-être deux ou trois ans ? est intervenue une troisième voix.

— Vous savez, a répondu madame McSinistre. C'est exactement ce que je me disais.

Elle a sorti un bocal à spécimens de sa poche et s'est penchée au-dessus de l'aquarium.

— Je crois que je vais l'emmener pour me tenir compagnie, a-t-elle ajouté en faisant entrer Frankie dans le bocal.

Puis, elle s'est dirigée vers la rive du lac où Mark venait juste d'accoster le bateau.

— Merci, Mark, a-t-elle dit en se mettant aux commandes tandis que Mark et Fang mettaient pied à terre. Tu sais…

Elle s'est tue un instant.

— Tu es vraiment un bon scientifique. Si jamais tu décidais de cesser ta spécialisation en science diabolique, fais-le-moi savoir et je pourrais te trouver du travail dans un laboratoire non diabolique.

— Super, a répondu Mark. Ça me convient pour l'instant, les trucs diaboliques, mais merci quand même de le proposer.

Ils sont tous les deux partis à rire d'un énorme « Mwhaaa haaa haaa haa ».

Puis, la professeure McSinistre s'est éloignée de la rive et a piloté le bateau en direction du dino-poisson.

CHAPITRE 14

UN DERNIER CHAPITRE POUR LES POISSONS

Tandis que le bateau de madame McSinistre s'approchait, le remous est venu nous lécher les pieds, et le dino-poisson faisait des cercles de plus en plus serrés autour du bateau, en rebondissant sur les vagues.

— Gros froufrou poissonnet veut jouer encore, a dit Sami.

— J'espère que c'est ce qu'il va avoir l'occasion de faire, a déclaré la professeure McSinistre en débarquant du bateau. Je vais pouvoir consacrer les quelques prochaines années à observer et étudier le dino-poisson dans son environnement naturel. Je vais le voir manger et jouer, et possiblement interagir avec les autres animaux!

Frankie a fait un bond hors du bocal à spécimens qu'elle tenait à la main et a sauté dans l'eau.

— Il y a un animal avec lequel il semble déjà avoir noué des relations!

Elle a souri en regardant Frankie et le dino-poisson qui jouaient à se pourchasser.

— J'suis désolé que nous ayons, euh… vous savez, pensé que vous étiez… diabolique, ai-je marmonné.

— C'est vrai, je ne vais plus jamais juger quelqu'un en fonction de son nom et de son rire diabolique, a ajouté Pradeep.

— Ça va aller, nous a rassurés la professeure en souriant. Merci, les garçons. Oh oui, et s'il vous plaît, présentez mes excuses à votre école de ma part, aussi. Nous sommes partis si rapidement que nous avons laissé le labo de votre école dans un état…

Elle a tendu à Pradeep une lettre adressée à la directrice.

— Ceci explique ce qui s'est passé, et j'ai aussi inclus un chèque pour rembourser les dommages. J'espère que ça va mettre un baume sur les mauvais sentiments.

— Ça va certainement nous éviter une semaine de mauvaises retenues ! a répondu Pradeep. Merci.

— Merci, Sami, de m'avoir aidée à prendre conscience de ce qui était le mieux pour le dino-poisson et pour moi aussi.

La professeure McSinistre a projeté de l'eau de sa main et le dino-poisson a sorti la tête de l'eau.

— Je crois que nous ferions mieux de nous diriger vers le fleuve avant qu'il prenne l'envie à quelqu'un de venir voir de plus près ce qui se passe ici, a-t-elle poursuivi en s'adressant au poisson géant.

Frankie a sorti la tête de l'eau lui aussi, et Sami l'a recueilli au creux de ses mains. Elle a immédiatement eu le regard de zombie.

Pradeep a attrapé Frankie tandis que Sami sortait ses crayons et du papier pour se mettre à dessiner à toute vitesse un grand poisson qui jouait avec un petit poisson. Puis, elle a dessiné le grand poisson qui s'en allait, la larme à l'œil.

J'ai levé les yeux du dessin et j'ai regardé le dino-poisson.

J'aurais pu jurer qu'il avait l'air triste. Pas qu'on puisse vraiment voir si un poisson géant est en train de froncer les sourcils, avec toutes les écailles, les dents et les autres choses, mais ses yeux avaient l'air plus tristes.

Puis, Sami a fait un autre dessin nous représentant, Pradeep, elle et moi, mais avec des nageoires.

— Crois-tu que c'est censé être nous? a demandé Pradeep.

Sami a ajouté des pandas et des petits gâteaux au t-shirt de Pradeep, au crayon rose vif.

— C'est nous, plus aucun doute, ai-je répondu.

Pradeep s'est penché au-dessus de l'eau et a flatté le dino-poisson derrière les ouïes, exactement comme Frankie aime ça. Le dino-poisson s'est tourné sur le côté et il a fait une sorte de ronronnement de poisson.

La professeure McSinistre avait sorti un calepin et prenait des notes.

— Très intéressant, marmonnait-elle.

— Au revoir, dino-poisson, l'ai-je salué en lui tapotant le dessus de la tête. J'espère que tu vas trouver plein de délicieuse nourriture verte, dans la grande mer.

Il s'est mis sur le dos et a donné un grand coup de queue dans l'eau, nous arrosant tous.

— J'imagine qu'il va falloir que je m'habitue à ça, a déclaré madame McSinistre en secouant l'eau de ses chaussures.

Sami est sortie de sa transe de zombie tout à coup. Elle a souri au dino-poisson, a pris son crayon vert et le lui a tendu.

— Collation verte pour gros poissonnet!

Elle s'est mise à rigoler.

Le dino-poisson l'a avalé d'un seul trait. Puis, Sami s'est penchée, et elle lui a fait un gros bisou juste sur le bout du nez. J'aurais pu jurer avoir vu le monstre poisson géant rougir.

Frankie a sauté de la main de Pradeep pour retourner dans l'eau, et il a fait signe au dino-poisson de s'écarter pour que la professeure McSinistre puisse démarrer le bateau et s'en aller.

Elle nous a envoyé la main en dirigeant le bateau vers la barrière à l'endroit où le fleuve longeait le réservoir. Elle a ensuite fait quelques tours pour prendre de la vitesse, puis elle a filé vers une rampe débarcadère sur le côté et en poussant à fond le moteur... elle a sauté. Le bateau est passé par-dessus la barrière et a amerri dans le fleuve de l'autre côté.

— Manœuvre plutôt sympa pour une scientifique non diabolique, ai-je souligné.

Frankie a dirigé le dino-poisson en lui faisant faire un grand demi-tour vers la barrière pour prendre de la vitesse. Au dernier moment, il s'est arrêté, tandis que le dino-poisson a fait un bond hors de l'eau. Il a amerri lui aussi dans le fleuve, juste derrière le bateau de madame McSinistre, nous a fait un signe de la queue, puis a disparu dans l'eau.

Frankie est revenu à toute vitesse vers nous, et je l'ai cueilli pour le remettre dans sa bouteille d'eau.

— Bien joué, Frankie, l'ai-je félicité.

Alors que le bruit du moteur diminuait, nous avons vu le dino-poisson faire un saut périlleux arrière dans le fleuve. Ses yeux brillaient d'un vert vif lorsqu'il est retombé dans l'eau.

Pradeep et moi avons échangé un regard.

— J'imagine que Mark avait raison, ai-je déclaré. Il y a un petit zombie dans ce dino-poisson, après tout.

— Bye, bye, gros poissonnet! a lancé Sami en bâillant tandis que nous retournions vers nos vélos pour aller retrouver madame Kumar.

Pradeep s'est penché et j'ai installé Sami à califourchon sur son dos.

— J'imagine qu'être poursuivie dans une piscine par un poisson préhistorique génétiquement modifié, aider à secourir un chaton diabolique de la noyade, déjouer un auditoire complet de journalistes et de scientifiques, et faire une séance d'interprétation simultanée du langage poisson au langage dessins des cavernes peuvent réellement finir par venir à bout d'une bambine de trois ans, ai-je remarqué, alors que les yeux de Sami se fermaient.

— D'un zombie de poisson rouge aussi, a ajouté Pradeep en montrant Frankie, dont les ronflements faisaient des bulles dans sa bouteille d'eau.

— Ils méritent tous les deux une bonne sieste! ai-je ajouté en chuchotant.

— Tu as raison, a répondu Pradeep. Juste au cas…

J'ai souri.

— Après tout. On ne sait jamais quel plan diabolique pourrait nous attendre au détour…

Aussi disponibles dans la série

MON BON GROS ZOMBIE
DE POISSON ROUGE

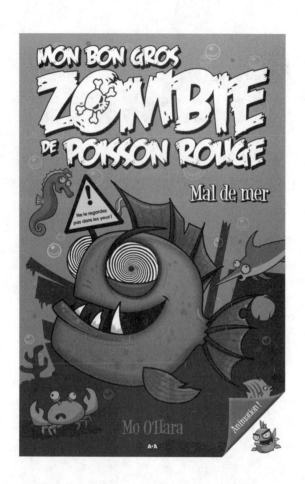

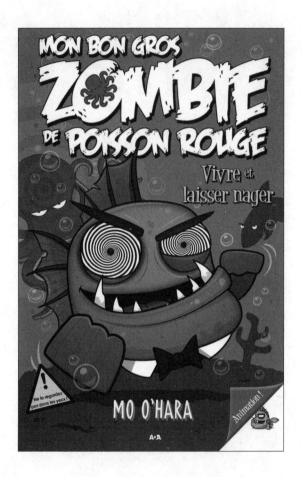

www.ada-inc.com
info@ada-inc.com

www.facebook.com/editionsada

www.twitter.com/editionsada